OÙ SONT MES LUNETTES?

DU MÊME AUTEUR

Chez Flammarion

VAS-Y, MAMAN! roman.
DIX-JOURS-DE-RÊVE, roman.
QUI C'EST, CE GARÇON? roman.
C'EST QUOI, CE PETIT BOULOT? roman.

Chez Pierre Horay

DRÔLE DE SAHARA, roman.
VOGUE LA GONDOLE, roman.
LES PIEDS SUR LE BUREAU, roman (*prix Courteline*).
SAINTE CHÉRIE, roman.
SAINTE CHÉRIE EN VACANCES, roman.

Éditions J'ai Lu

LES SAINTES CHÉRIES (nouvelle version).
VAS-Y, MAMAN!
DIX-JOURS-DE-RÊVE.
QUI C'EST, CE GARÇON?
C'EST QUOI, CE PETIT BOULOT?

NICOLE DE BURON

OÙ SONT MES LUNETTES?

FLAMMARION

© 1991, Flammarion.
ISBN : 2-08-066650-9
Printed in France.

A562257

PREMIÈRE PARTIE

LA LETTRE

CHAPITRE I

La lettre ne fit aucun bruit spécial lorsque la concierge la glissa sous la porte. Juste *fffffuuuuttt* sur la moquette. Vous l'ouvrez donc sans méfiance. LA CNAVTS. C'est quoi, ça? Sûrement un de ces organismes chargés de vous réclamer de l'argent. Soit légalement exigible. Soit moralement obligatoire avec des photos de petits enfants mourant de faim, de débris à peine humains de lépreux, de vieilles femmes hagardes sur des grabats. Vous êtes d'accord pour envoyer un chèque. Seule question qui vous tracasse parfois : « Comment ont-ils tous mon adresse? » (Réflexe mesquin, vous plaidez coupable.) Bon. Que dit la CNAVTS?

Madame,
VOUS AVEZ 59 ANS...

Hein?
Qui a cinquante-neuf ans?
Vous?
Non. Ce n'est pas vrai.

Si. C'est vrai.

Mais de quoi se mêlent-ils, à la CNAVTS, de vous rappeler ce fait déplaisant que vous n'avouez plus jamais. Même à vos petits-enfants, lors de vos anniversaires (vous vous contentez d'une seule et discrète bougie sur le gâteau) : « Mamie a toujours vingt ans dans son cœur, mes chéris. » Vous avez, sans le leur dire, rajeuni vos enfants de cinq ans. Vous envisagez même de falsifier, comme votre mère, la date de votre naissance sur votre passeport (peut-être pas de dix ans tout de même). Quand on vous prend en photo, vous enlevez précipitamment vos lunettes.

Justement, vous les cherchez, vos lunettes, pour lire la suite de cette lettre odieuse de cette CNAVTS inconnue. Elles ont encore disparu, les sales bêtes. Vous les retrouvez à tâtons, tapies goguenardes sous votre couette. Vous êtes absolument sûre de ne pas les avoir posées là.

Madame,
VOUS AVEZ 59 ANS.
(On sait, on sait, bande de malpolis!)
Bientôt, vous pourrez demander votre
RETRAITE de la SÉCURITÉ SOCIALE...

Quoi, la RETRAITE?
Ils sont fous à la Sécurité sociale!
Vous êtes en pleine forme (ou presque). Vous travaillez dix heures par jour (enfin, six!). Vous gagnez bien votre vie. Vous bourdonnez dans l'existence comme une abeille dans sa ruche. Pas question d'arrêter.

Et pourtant...

... vous ne pouvez dissimuler qu'une petite sirène d'alarme a retenti, il y a quelques années déjà.

Vous aviez écrit un scénario de film qu'un des plus grands producteurs de Paris vous avait acheté. Avec beaucoup de compliments et de bisous (ça, vous vous en fichiez : les compliments et les bisous, dans le cinéma français, c'est du pipeau). Et surtout un gros paquet de sous (voilà qui marquait réellement votre cote).

Vint le choix du metteur en scène. Le Producteur avait un petit génie sous la main. Un jeune réalisateur inconnu mais qui avait comme femme une actrice très en vogue. L'un devant compenser l'autre.

Vous invitez le chouchou bien marié à déjeuner chez vous. Malgré vos gracieusetés, il vous regarde avec une sorte d'horreur. Surtout quand vous refusez de transformer votre (charmante) comédie en film politique. Il s'en va, mécontent.

Deux heures plus tard, le Producteur vous téléphone. Son petit génie est d'accord pour tourner le film.

À condition que vous l'abandonniez.

– Pardon ?

Le Producteur semble un peu gêné à l'appareil, ce qui, de la part de ce vieux crocodile, est terriblement inquiétant.

– Heu... vous savez que désormais le public de cinéma est surtout composé de jeunes et notre ami (ami de qui ? Pas de vous en tout cas) estime qu'il faut une réécriture faite par un jeune.

– Bref, je suis trop vieille pour retravailler mon propre film avec lui ?

Le Vieux Crocodile n'a pas d'états d'âme. Le comble est qu'il a, sans vergogne, quatre-vingts berges. Son cœur s'est desséché avec son corps dans les marigots du showbiz.

13

– C'est ce qu'il pense. Et moi aussi... vous assène-t-il froidement. Je sais parfaitement que, d'après votre contrat, c'est vous qui choisissez le metteur en scène et non le contraire. Vous pouvez donc refuser. Dans ce cas, le film a de grandes chances de ne pas se faire.

Message bien reçu. L'Ancêtre vous a sacrifiée au jeune loup.

– Laissez-moi dix minutes pour réfléchir et je vous rappelle.

Vous vous ruez devant votre glace à trois faces et VOUS VOUS REGARDEZ.

Vous ne voyez rien. Seulement VOUS. Avec un air de... de trente ans? Non! Peut-être pas trente ans tout de même! Mettons quarante?... Heu... cinquante? Ah non, pas cinquante! Disons rien du tout. Vous, c'est Vous et vous êtes incapable d'apercevoir autre chose dans le miroir qu'une petite fille qui a coupé ses nattes.

Cependant, en vous examinant sérieusement, vous vous avisez de détails peu encourageants. Quelques kilos de trop par exemple. Qui vous donnent une bonne bouille ronde, une forte poitrine maternelle, un double menton et un petit ventre qui pointe sous votre jupe. Pas beau, tout ça! Oui, mais en revanche, vous n'avez pas les rides profondes comme des ravins des dames décharnées à force de régimes. Par contre, tiens, c'est vrai! des mèches blanches sont apparues dans vos cheveux. Et quelques fleurs de cimetière sur vos mains.

Vous retéléphonez au Vieux Crocodile.

– Je suis d'accord pour renoncer au film mais avec un dédit très élevé, annoncez-vous aimablement (sans ajouter: « Crève, TRÈS VIEUX SALAUD »).

– Bien évidemment, dit le Producteur aussi poli, dites à votre agent de m'appeler.

Ce dernier vous obtient des dommages et intérêts importants que vous encaissez en larmes.

Car vous avez gagné aussi une déprime.

Votre confiance en vous s'est effondrée. Une vieille orange à jeter, voilà ce que vous êtes devenue! Une *has-been* dans un métier que vous aimez tant! Vous vous réveillez le matin avec autant d'entrain qu'un gâteau de semoule aplati. Vous pleurez dans votre bain. Vous trimbalez en permanence une boule d'angoisse à la place de l'estomac. Par moments, une terreur absurde vous fait suffoquer comme une énorme carpe manquant d'air.

Vous n'en parlez pas à l'Homme. Inutile d'attirer son attention sur votre décrépitude. Et puis vous connaissez sa réaction. Il vous proposera immédiatement d'aller « casser la gueule à ton vieux crocodile et à son chouchou de merde ».

Vous courez chez Psy Bien-aimé. Lui réclamer des petites pilules bleues pour vous rendre le moral d'acier de vos vingt ans et vous donner des flopées d'adresses. Cliniques pour maigrir. Chirurgiens esthétiques pour vous lifter le visage, le ventre, les seins, les fesses, tout, tout, tout. Dermatos pour brûler les taches de vos mains. Kinés pour vous donner la silhouette souple de Nina Comencini à ses débuts. Grands coiffeurs pour teindre vos mèches blanches, etc. Bref, tout pour exécuter un plan d'enfer : le Rajeunissement Total à la Raquel Welsh.

Votre agent vous rappelle. Le très jeune metteur en scène de génie a tiré de votre scénario un script de vingt pages si mauvais, si mauvais, que le Producteur l'a immédiatement flanqué au panier. Et vous fait demander sans vergogne si vous ne voulez pas reprendre votre travail au vol.

– Oui! dites-vous sans hésiter, mais avec un nouveau contrat et beaucoup beaucoup d'argent.

Toujours impassible, le Vieux Crocodile accepte

de laver l'injure qui vous a été faite dans une lessiveuse de sous.

Le film est tourné par un « vieux » metteur en scène de vos amis. Et obtient beaucoup de succès. Du coup, vous oubliez votre plan de Rajeunissement Total à la Raquel Welsh. Et, avec l'argent, vous vous offrez une piscine dans votre maison de campagne où vous crawlez joyeusement tous les matins (malgré un certain rhumatisme dans votre épaule gauche, chut!).

Et depuis, vous emmerdez glorieusement LES JEUNES.

Jusqu'à ce matin et l'avertissement de la CAISSE NATIONALE VIEILLESSE DES TRAVAILLEURS SALARIÉS.

Vous jetez la lettre.

CHAPITRE II

Vous écrivez un film de télévision dont l'actrice principale passe son temps à refaire vos dialogues. Ou plutôt sa belle-sœur qui est, paraît-il, la maîtresse du Président de la chaîne. Foutu métier.

Vous êtes donc d'une humeur de dogue quand arrive la deuxième lettre de la CNAVTS. Qu'est-ce qu'ils veulent encore, ceux-là?

> Madame,
> Nous vous avons déjà écrit...
> VOUS AVEZ 59 ANS...

Mais c'est fou! Ils vont vous le rappeler, tous les mois, que vous avez cinquante-neuf ans?... Peuvent pas vous laisser tranquille? Vous avez déjà assez d'embêtements comme ça!

Vous parcourez leur texte au ton mielleux. « ... Faisons ensemble le point sur votre retraite... » Je-ne-veux-pas-la-prendre-ma-retraite-bande-d'emmerdeurs! « Reconstitution de carrière... » Quelle carrière? Vous n'êtes ni fonctionnaire ni directeur de banque. « ... pièces justificatives. » C'est quoi, ça? Vos vieilles fiches de paye? Vos bordereaux de toutes les cotisations que vous avez versées, comme de l'eau

17

dans un trou sur la plage, à de multiples caisses voraces comme des piranhas? «... N'hésitez pas à venir nous voir... » C'est ça!... et à attendre un après-midi entier qu'une dame hargneuse vous renvoie parce qu'il-manque-une-pièce-à-votre-dossier.

Jamais.

Si.

Tout plutôt que de vous voir rappeler inlassable-ment votre âge. La CNAVTS ne vous lâchera pas. Vous le sentez. Vous le savez. Une de vos amies, plus âgée, vous l'a confirmé. Elle, elle trouvait régulière-ment dans son courrier des relances d'une Assu-rance/Obsèques. « Offrez-vous, dès maintenant, un bel enterrement... » Elle avait fini par craquer et s'était commandé un somptueux cercueil capitonné de satin blanc (option III) «... que mes enfants seront trop pingres pour m'offrir, avait-elle ajouté en rigo-lant jaune... ils vont en faire une tête! »

Pour éviter que de pareilles missives gâchent vos petits déjeuners, vous décidez d'aller le voir, votre agent d'accueil à la CNAVTS. Et avec un dossier complet, encore. (Il va être bien épaté!) Parce que vous êtes peut-être distraite et désordonnée, mais vous ne jetez jamais rien. Suivant le principe de fer sucé avec votre biberon : « Ça-peut-toujours-servir », vous gardez même, comme votre grand-mère, des boîtes d'objets-ne-servant-à-rien.

Vous faites monter de la cave l'énorme malle en cuir noir où vous entassez depuis l'adolescence votre paperasserie. Vous allez fouiller dedans. Tout y est.

Même votre vie qui vous saute à la gueule.

DEUXIÈME PARTIE

SOUVENIRS EN VRAC
DANS UNE MALLE NOIRE

CHAPITRE III

Votre première fiche de paye : elle est là, sur le dessus d'un paquet de cent cinquante-six autres bien ficelées ensemble.

Vous avez dix-sept ans et demi. Vous crevez de faim. Seule, dans une ancienne lingerie transformée en chambre, au bout d'un long couloir, dans l'appartement de votre grand-mère à moitié gâteuse dont le Conseil de Famille s'est débarrassé en l'installant dans une maison de retraite « chic ».

Vous profitez aussi, luxe inouï, d'une salle de bains où vous faites la cuisine, à genoux devant le bidet sur lequel est posée une planche supportant un minuscule réchaud à méta. Il vous faut des heures pour cuire les pommes de terre germées qui constituent votre seule nourriture. Vous avez rapporté vous-même le sac de cinquante kilos, l'été dernier, du château familial.

Votre première pensée, en vous réveillant le matin, n'est pas de faire votre prière, comme vous l'ont appris les Bonnes Sœurs, mais : « Où manger un bifteck ? »

Les cousins qui occupent le devant de l'appartement vous disent à peine bonjour. Et réciproquement. Vous savez qu'ils aimeraient récupérer votre chambre/lingerie pour leur bébé. Mais vous êtes accrochée là comme une moule à son rocher. Vous n'avez nul autre endroit où aller.

Souvent, vous déjeunez chez votre chère grand-mère mais, hélas, la pauvre femme commence à ne plus bien vous reconnaître. Et son régime à base de bouillies préparées par des religieuses ne comporte aucune viande. La malheureuse n'a plus de dents.

Vous vous résignez donc parfois à vous rendre chez votre tante Hildegarde. Là, le bifteck est succulent et épais. Malheureusement accompagné de frites molles et de reproches. Tante Hildegarde réprouvant fortement le fait que vous ayez quitté, à seize ans et demi, votre mère et son troisième mari grec, M. Olivapoulos. Une jeune fille convenable ne se sauve pas de chez sa maman, même pourvue d'un époux hellène. Toute au plaisir de savourer votre viande, vous ne lui faites pas remarquer que celle-ci réside le plus clair de son temps dans une maison de repos (nom rassurant pour clinique psychiatrique). Et que vous n'avez aucune envie de vivre avec M. Olivapoulos. Non pas que vous craigniez l'inceste (vous ne savez même pas que cela existe) mais le pauvre homme vous ennuie mortellement.

En fait, ayant été élevée par vos grands-parents, vous ne souffrez pas de l'absence de votre mère qui, en guise d'éducation, ne vous a laissé que deux recommandations :

1º « Tu n'as pas un sou et personne ne t'en donnera jamais. À toi de te débrouiller toute seule. »

2º « Pour séduire un homme, il faut l'écouter inlassablement et lui répéter sans relâche qu'il est le plus beau et le plus fort. »

Vous devez reconnaître que ces conseils de choc vous ont été plus utiles dans la vie que toute l'éducation catholico-aristocratique de vos chers grands-parents.

Quant à votre père « officier-de-cavalerie-plein-debravoure », comme le proclame ses nombreuses citations, il passe son temps à guerroyer au loin dans l'empire colonial français. Vous ne l'avez jamais vu qu'une fois par an – deux, les années fastes – au cours d'une permission. Mais depuis votre plus jeune âge, vous avez ressenti, du fond de votre âme, qu'il réprouvait silencieusement le fait que vous ne soyez qu'une fille et non le garçon qui transmettrait son nom. Du coup, il s'est remarié, lui aussi, avec une quasi-écolière, qui lui a donné... malédiction !... une autre fille...! (Bien fait!)

Quand vous n'avez trouvé aucun filon à bifteck, vous regardez par la fenêtre, de l'autre côté de la cour, où – dans une salle à manger à vitraux 1930 – un petit garçon dévore un délicieux déjeuner servi par une gouvernante empressée. Vous n'éprouvez aucune haine sociale (la lutte des classes vous est inconnue). Juste un peu d'envie. Vous ignorez que ce jeune prince choyé deviendra un révolutionnaire célèbre : R.D. Cela vous fera beaucoup rire plus tard lorsqu'il battra les campagnes d'Amérique latine en prônant l'égalité des richesses. Son bifteck, il ne l'a jamais partagé avec vous, qui étiez affamée juste en face. Vous croyez savoir que, maintenant, il exerce de hautes fonctions politiques et déjeune dans les meilleurs restaurants – où il ne vous invite toujours pas à déguster un filet en croûte aux truffes.

Pour tout viatique, vous n'avez qu'une maigre pension paternelle que votre jeune belle-mère vous remet régulièrement, avec parfois quelques piécettes rajoutées de sa poche.

Et qui vous sert à acheter des litres de formol.

Pour soigner vos engelures.

Vous ne savez si cela est dû au froid ou au manque de vitamines mais vous avez d'insupportables engelures éclatées aux mains et aux pieds. Pas question d'aller voir un médecin. Vous n'avez pas de quoi régler une consultation. La vieille bonne de tante Hildegarde vous a alors conseillé une recette ancienne : le formol. Jusque-là, vous aviez cru que c'était un produit pour conserver insectes et momies. Vous pouvez révéler qu'il soulage aussi les engelures. Vous passez des heures, pieds et mains plongés dans votre bidet empli du précieux liquide.

Vous êtes habillée de la tête aux pieds des vêtements déjà très usés d'une charitable et affectueuse cousine, Isaure. Malheureusement, elle est beaucoup plus grande et large que vous et vous ressemblez, dans vos meilleurs jours, à un épouvantail aux hardes flottantes. Surtout avec ses godasses déformées et trop longues – dont vous bourrez le bout avec du papier journal – qui vous donnent une démarche de clown, flop, flop, flop...

Dans cette situation peu exaltante, vous attendez, jour après jour, un permis de travail comme secrétaire bilingue à Londres, à la banque Coutt's (la Banque Royale. La classe !).

Parce que vous parlez l'anglais comme une Écossaise.

Vous avez appris la langue de Shakespeare non pas grâce à la Miss que votre grand-mère importait pour vous tous les étés et dont vous n'avez jamais retenu qu'une seule phrase redoutée, prononcée d'une voix sèche à 9 heures pile : *Time to bed*, mais pendant l'année passée comme jeune fille au pair dans un couvent sinistre, perdu dans les brumes du Yorkshire. Vous y avez découvert l'arrogance des petites Anglaises, la froideur des *Sisters*. (D'abord Dieu. Puis les Anglais. Ensuite les chiens. Enfin, loin, très loin après, le reste du monde.) Mais aussi la chaleur humaine d'une tribu d'étudiants noirs de Gold Coast (devenu le Ghana).

Résultat : non seulement vous vous exprimez *fluently* avec l'accent rocailleux de la *Sister* chargée de vous, vous tapez à la machine, vous écrivez en sténo Pitman, mais vous êtes capable de vous trémousser pendant des heures en ululant et en battant des mains au son d'un tam-tam africain. Vous êtes armée pour la vie.

Un étudiant ashanti du plus beau noir et tout crépu vous a même demandée en mariage. Votre première demande en mariage! Vous avez été tentée : il était charmant. Où seriez-vous maintenant si vous aviez répondu oui? Femme de Premier ministre circulant en Rolls blanche? Ou vieillarde pilant du mil devant sa case?

Malheureusement, si vous avez le job – obtenue par la mère supérieure dite *Holy Sister* – vous n'avez pas le permis de travail de l'Administration anglaise qui, comme toutes les administrations du monde, ne se presse pas de vous répondre et se fout que vous creviez de faim en attendant.

L'idée vous vient que, si cela continue ainsi, ce fameux permis de travail risque d'être attribué à votre cadavre.

Vous ne vous rappelez plus comment vous avez trouvé ce petit boulot : garder deux fillettes tous les après-midi. De quoi mettre du beurre sur vos pommes de terre. Tante Hildegarde approuve. S'occuper d'enfants est une occupation convenable pour une jeune fille comme-il-faut.

Ce qu'elle ignore et que vous vous gardez bien de lui révéler, c'est que vous allez travailler chez des Lévy, fourreurs du Sentier.

Or, on ne transige pas dans votre Famille : on est antisémite de tradition.

Personnellement, vous vous en fichez. Jusqu'à ce que vous découvriez la chaleur de la tribu juive.

Tous les jours, à 4 heures, se réunit la famille entière : parents, enfants, grands-parents, oncles et tantes, etc...

... autour d'un fabuleux bol de café au lait dans lequel chacun trempe une tartine de pain beurré (oui, beurré !). Les Lévy vous font participer fraternellement à ces agapes joyeuses, vous qui n'avez mangé que des pommes de terre depuis le matin.

Ce merveilleux goûter aura deux conséquences dans votre vie.

1. Dévorer une tartine beurrée trempée dans un bol de café au lait est resté pour vous plus savoureux que de déguster un lièvre à la Royale. Ce que comprennent difficilement les chefs des grands restaurants où l'on vous invite désormais.

2. Vous vous promettez d'épouser un juif. Tant pis pour les hurlements de votre famille. Hélas, aucun ne voudra de vous. Ou plutôt si, UN, l'héritier d'un fabricant de bas. Mais sa mama yiddish y mettra le holà. On n'épouse pas une *goy,* même pourvue d'une particule, chez les Cohen.

Hélas, le paradis côtoie l'enfer.

Les deux petites filles.

L'aînée, brune et laide, est née juste avant la guerre. La seconde, blondinette aux yeux bleus, a été conçue dans un monastère savoyard où ses parents étaient cachés pendant l'Occupation. Ils adorent cet angelot ravissant. L'aînée, folle de jalousie, essaie, avec une constance méritoire, de tuer sa petite sœur. Vous avez été engagée pour qu'elle ne l'étrangle pas, ne la jette pas par la fenêtre et ne la pousse pas sous les roues d'une voiture. Vous vivez dans la hantise de détourner la tête une seconde de trop.

On vous a bêtement élevée dans l'idée qu'il faut aider son prochain (vous n'avez jamais pu vous défaire de cette tare). Vous avez, à cause de votre mère, quelques vagues connaissances en psychiatrie.

Vous entreprenez, un jour, de parler à Mme Lévy « de cœur à cœur ». Ne pourrait-elle pas marquer un peu plus de tendresse à son aînée et cajoler moins sa cadette? Mme Lévy vous regarde avec stupeur : quelles sornettes racontez-vous là? Elle nie véhémentement. Elle aime ses filles autant l'une que l'autre. Avec l'ardeur de la jeunesse et le sentiment de faire votre devoir, vous insistez sottement. Est-il normal qu'une enfant veuille tuer sa sœur? (À l'époque, vous avez des idées très arrêtées sur ce qui est normal ou pas. Depuis, après avoir côtoyé beaucoup de psychiatres, vous êtes moins affirmative.) Mme Lévy finit par reconnaître qu'il y a peut-être un problème. Et accepte d'aller avec sa fille aînée voir le Professeur qui soigne votre mère.

Vous ne saurez jamais ce qui s'est dit pendant cette consultation.

Mais quand votre patronne revient, elle est livide.

Et elle vous vire. Sur l'heure. Sans explications. Avec un regard de haine.

Vous êtes bouleversée.

Les petites Sarah et Judith aussi. Elles se jettent en larmes dans vos bras. Le brave M. Lévy vous paye plus que votre compte et vous chuchote : « Pardonnez à ma femme! Elle a reçu un choc... »

Vous rentrez chez vous piteusement, en vous jurant de ne plus jamais vous mêler des affaires des autres. Vous ne tiendrez pas parole.

Trois jours plus tard, la réponse vous parvient de Londres. L'administration anglaise vous refuse votre permis de travail. (Vous en voudrez toujours aux Britanniques de cet affront, Reine comprise.)

Vous pardonnerez d'autant moins que c'est un de vos ancêtres qui a prononcé la fameuse phrase à la bataille de Fontenoy : « Messieurs les Anglais, tirez les premiers! » Sombre crétin! À sa place, vous auriez crié à vos officiers : « Messieurs!... les Anglais! Tirez vite les premiers!... »

Pour l'instant, il vous faut moins fièrement trouver un travail. D'urgence. N'importe lequel. Vous n'avez presque plus de pommes de terre.

Quelqu'un vous dit que quelqu'un lui a dit...

Vous courez au journal *La Mode des femmes* vous présenter comme dactylo pour taper les lettres de la secrétaire du Directeur général et la remplacer éventuellement pendant son congé de maternité.

Votre air pauvre et convenable plaît...

... jusqu'au moment où l'on vous installe, pour un essai, devant une machine à écrire.

Vous vous mettez à taper à une vitesse foudroyante une lettre suivant un modèle que l'on vous a tendu. Vous relisez.

Illisible.

Et vous vous apercevez que le clavier français est différent du clavier anglais. Vous êtes peut-être une bonne dactylo anglaise mais il vous faut une heure pour frapper en bon français (si l'on peut appeler cela du bon français) : « Messieurs, nous avons l'honneur de vous informer que nous avons bien reçu votre honorée du 12 courant... »

Désastre total. Vous manquez d'éclater en sanglots.

Mais le ciel veille sur vous, ce jour-là. La secrétaire – à qui vous expliquez votre drame, à voix basse – désire à tout prix s'en aller enfanter dans un mois. Elle saisit votre torchon et dit à son Patron penché sur ses dossiers, à quelques mètres de là :

– Ça ira !

– Alors, prenez-la, répond le Patron d'une voix indifférente et sans lever la tête.

C'est ainsi qu'à dix-huit ans, vous entrez au journal, *La Mode des femmes,* en qualité de dactylo bidon.

Tante Hildegarde pousse des cris d'indignation. C'est la première fois qu'une jeune fille travaille dans Nos Familles. Cela-ne-se-fait-pas. Vos ancêtres doivent se retourner dans leurs armures. Vous ne répondez pas (dans Nos Familles, on ne répond jamais à des parents plus âgés) que vous n'en seriez pas là si vos deux grands-pères banquiers – paternel et maternel – n'avaient pas bouffé la fortune familiale en... en faisant quoi, du reste? Vous ne le saurez jamais. Vous vous contentez de soupçonner que ces malheureux ne s'étaient pas ruinés en menant joyeuse vie mais avaient tout simplement été incapables de gérer cette chose dégoûtante dont il était interdit de parler : l'Argent.

Vous découvrez les mille et un bonheurs et malheurs du petit peuple salarié.

En particulier, la Pointeuse.

Pointer à l'heure le matin devient votre hantise. Vous dormez d'un sommeil agité à l'idée que votre réveil ne va pas sonner ou que vous n'allez pas l'entendre. Sur les conseils de Jojo, le coursier de *La Mode des femmes,* à qui vous confiez votre problème, vous le posez (le réveil, pas le coursier) sur une assiette contre votre oreiller. La sonnerie résonne plus fort. Dès que retentit un *dring, dring* aigu et assourdissant, vous vous levez d'un bond, vous faites votre toilette en hâte, vous vous habillez précipitamment et vous foncez dans le métro, une pomme de terre froide à la main. Vous avez deux changements. Angoisse quand le portillon du quai (désormais supprimé) se ferme devant votre nez. Terreur quand la rame suivante se fait attendre. Vous cavalez dans les couloirs. Vous grimpez les escaliers quatre à quatre. Vous sprintez dans la rue. Vous vous jetez à bout de souffle sur la Pointeuse.

Avec vingt minutes d'avance.

Est-ce votre nature anxieuse? La peur folle du renvoi? (Un retard amène une admonestation du Chef du Personnel, trois retards, la porte. Pire qu'au couvent.) Toujours est-il que toute votre vie, désormais, vous arriverez systématiquement en avance à vos rendez-vous. Avec l'âge (cinquante-neuf ans, comme vous l'a rappelé la CNAVTS, maudite soit-elle), la maladie a empiré. Aux aéroports, vous pouvez parfois prendre l'avion précédant celui où vous aviez une place réservée. Vous avez interrogé Psy Bien-aimé sur cet étrange comportement. Il n'a pas eu l'air intéressé.

Pour l'instant, votre Patron est enchanté de vous voir si empressée à venir travailler. D'autant plus que vous partez le soir bien après l'heure (de cela, la Pointeuse et le Chef du Personnel se fichent). Personne ne vous attend. Pour le moment. Vous y gagnez la réputation d'une employée de choc fayoteuse (remarques aigres-douces des autres secrétaires). Cela vous est égal. Vous ne pensez qu'à votre première paye. Elle n'est pas bien grosse mais le jour où vous la touchez (en espèces, parce qu'elle ne mérite pas un chèque et que, de toute façon, vous n'avez pas de compte en banque), vous avez envie de sauter en l'air comme un cabri, de joie et de fierté. Vous passez une soirée exquise à imaginer ce que vous allez faire de cette somme pharamineuse – pour vous :

– l'utiliser pour manger un gros bifteck tous les jours (vous mettrez des années à ne plus être hantée par cette pièce de bœuf);

– l'économiser pour faire un grand voyage pendant vos vacances dans un an;

– le claquer en une soirée de fête avec tous vos amis.

Hélas, votre manque de fantaisie se révèle :

... vous achetez sagement une paire de chaussures

neuves. D'une laideur inouïe (vous n'avez aucun goût : personne ne vous a appris) mais d'un confort épatant. Désormais, les pieds à l'aise dans d'immondes patasses marron, vous envisagez l'avenir avec enthousiasme.

D'autant plus que votre Patron est très gentil. La cinquantaine tranquille et silencieuse, il s'adresse à vous d'une voix douce. Paternelle. Pour vous qui n'avez jamais vécu avec un père, vos journées ressemblent à des lacs de crème fraîche. La routine du bureau vous rappelle la paix du couvent. Vous êtes heureuse. Vous vous efforcez de ne pas penser que ce bonheur va disparaître quand la vraie secrétaire de Papa-Patron va revenir (elle a eu un garçon) et reprendre votre place. Enfin, la sienne.

Surprise. À son retour, sans explications, Papa-Patron la nomme Chef du Service Secrétariat de la Comptabilité.

Et vous garde, vous, avec lui.

Vous êtes folle de joie. Bien qu'un peu embêtée (c'est votre côté honnête petite scoute) que Madame Paulette puisse croire que vous avez intrigué dans son dos. Vous allez lui jurer que vous n'êtes pour rien dans son éviction.

– Je m'en fous! siffle-t-elle. Je vais leur faire immédiatement un deuxième enfant. Une fille, cette fois. Et à moi un nouveau congé de maternité! Ils vont en faire une drôle de gueule!

Vous la quittez, rassurée sur son sort. Et retournez autour de votre gentil Papa-Patron.

Qui n'est pas si gentil.

Il est amoureux fou de vous.

CHAPITRE IV

Une petite photo d'identité : après avoir fouillé dans une vieille boîte de chocolats où sont entassées ce que vous appelez vos photos personnelles, c'est-à-dire celles sur lesquelles vous ne désirez pas donner d'explications à vos enfants (l'Homme de votre vie s'en fout), vous avez fini par la retrouver, celle de Papa-Patron. Un petit monsieur rondouillard, un peu chauve, l'air timide et solitaire, les yeux tristes.

Vous n'avez rien deviné. Votre vie sexuelle se situe au-dessous de zéro. Un barrage a été patiemment construit dans votre tête, par votre grand-mère et les religieuses qui vous ont élevée, entre le Sexe et vous. Vous ignorez jusqu'au mot. Vous lavez « votre petit truc » sous une chemise de nuit et vous ne pensez jamais « aux petits trucs » des garçons. Vous n'en avez jamais vu. Tout ce que vous savez, c'est que les hommes et les femmes font « de vilaines choses » avec leurs « petits trucs » – qui leur valent l'enfer, sauf dans le sacrement du mariage dont on vous révélera les secrets, le soir de la cérémonie. Voilà.

Vous apprendrez plus tard, par les potins familiaux, que votre chère grand-mère priait, pendant que votre cher grand-père, porté, lui, sur les « vilaines choses », la baisait énergiquement par un trou dans sa chemise de nuit. La pauvre femme courait néanmoins le lendemain se confier à son confesseur privé et récitait nerveusement deux chapelets au lieu d'un, avec vous qui ne vous doutiez nullement de ce qui pouvait tant agiter l'âme des grandes personnes.

En revanche, votre vie amoureuse a toujours été bien remplie. Vous avez embrassé votre premier petit garçon à cinq ans, dans un placard. Vous vous rappeliez encore le parfum des robes derrière lesquelles vous étiez dissimulés. Au jardin d'enfants du cours Tamouillet, un certain Aymard vous faisait une cour effrénée, déposant à vos pieds tous ses jouets que vous acceptiez avec nonchalance. À l'âge de dix ans, vous êtes tombée amoureuse jusqu'à la pâmoison d'un cousin plus âgé. Vous le guettiez inlassablement dans les immenses couloirs de la propriété familiale et trottiez des journées entières derrière lui. On en riait dans la famille. Il vous surnommait « pot de colle », sans se douter qu'il vous portait chaque fois un coup de poignard dans le cœur. Il disparaîtra à vingt ans à Auschwitz. Vous songez parfois à lui avec mélancolie. Vous devez être la dernière à évoquer encore son souvenir. Après vous, il mourra définitivement.

Depuis que vous vivez seule dans la lingerie de votre grand-mère, vous êtes entourée d'une nuée de jeunes gens dits « bien élevés » qui vous font la cour, vous serrent contre eux pendant les slows des surprises-parties « bon genre » et vous embrassent en salivant dans les recoins des portes cochères.

Les baisers mouillés dans les portes cochères ne sont pas considérés comme péchés mortels par le curé de la paroisse et ne vous méritent en confession que trois Notre Père et trois Je vous Salue, Marie, après que le prêtre se fut enquis que « rien d'autre » n'avait suivi. « Non, non, pas de vilaines choses, mon Père » (vous continuez à ne pas savoir lesquelles). Pour plus de sûreté, aucun garçon n'est admis à franchir le seuil de votre chambre. Vous avez un idéal en bronze : rester pure et vierge pour un être mythique : votre Mari. Il sera le seul homme de votre vie et le père de vos enfants. Vos amoureux comprennent parfaitement ce vœu pieux et s'abstiennent même de vous effleurer les seins. Vous êtes une jeune fille convenable qu'ils pourront épouser et transformer en femme convenable.

Aussi, toute à votre splendide chasteté, vous ne remarquez absolument pas que Papa-Patron vous couve d'un regard de cocker pendant que vous tapez à la machine, vous caresse « par hasard » la main en signant le courrier que vous lui présentez tous les soirs à 5 heures et prend une voix câline pour vous ordonner de répondre au téléphone qu'il est en réunion. Vous pensez simplement qu'une grande amitié vous lie tous les deux, comme beaucoup de bonnes secrétaires à leurs gentils chefs.

Car vous êtes une bonne secrétaire. Vous travaillez avec une ardeur redoublée. Vous en êtes récompensée. Depuis quelque temps, Papa-Patron vous emmène à ses déjeuners d'affaires avec les clients étrangers. Sous prétexte que vous êtes son interprète d'anglais et connaissez certains dossiers mieux que lui. Avec fierté, vous avez fait l'acquisition pour ces circonstances exaltantes d'une robe en lainage jaunasse, ornée d'un gros chou de soie bleu, d'une laideur à donner un infarctus à Christian Dior. Et que vous portez sous un vieux manteau d'astrakan pelé de votre grand-mère. Sans oublier vos patasses marron et vos nattes enfantines enroulées et clouées autour de votre crâne. Vous vous étonnez encore de l'admirable impassibilité conservée par les clients étrangers à la vue de votre étrange et juvénile apparition. À moins qu'ils n'aient cru de bonne foi que vous représentiez le chic parisien!

C'est donc dans cet équipage insensé que vous partez fièrement accompagner Papa-Patron pour votre premier voyage d'affaires. À Madrid. Le fait que l'interprète que vous êtes supposée être sache à peine quelques mots d'espagnol scolaire ne vous frappe pas. Vous êtes trop excitée : votre premier voyage d'affaires à dix-huit ans et demi! Quelle réussite! Vous irez loin! Vous serez une grande *business woman*! Vous vous le jurez!

Le hall du Ritz à Madrid vous frappe de stupeur. C'est la première fois que vous entrez dans un palace si luxueux et même dans un hôtel tout court. Dans votre enfance et votre adolescence, même en voyage, vos grands-parents ne descendaient jamais dans ce genre d'endroit. On allait de cousin en cousin qui vous recevaient avec force démonstrations affectueuses et vous installaient dans les chambres d'amis (avec pots de chambre dans les tables de nuit). Vous n'avez jamais su si cette coutume était due à un goût forcené de l'économie ou plutôt à un grand mépris de la moindre auberge, lieu de stupre et de débauche, annexe de Sodome et Gomorrhe, faubourg de Babylone où l'on risquait de côtoyer n'importe qui... Bref, une fois de plus, cela-ne-se-faisait-pas.

Vous voilà donc, médusée et admirative, au milieu du hall du Ritz à Madrid, tandis que Papa-Patron parlemente avec la réception.

Il revient et vous marmonne d'un air chafouin qu'il ne reste qu'une SEULE chambre. Oui! Oui! Une SEULE chambre. Mais à DEUX lits. Et inutile d'espérer trouver même une baignoire avec matelas dans un autre hôtel. Tout est complet dans la capitale madrilène. Foire, exposition, malchance, bla-bla-bla...

Le ciel vous dégringole sur la tête. Une SEULE chambre pour Papa-Patron et vous!!! Même à DEUX lits!!! Vous restez plantée au milieu du hall, les bras ballants, la bouche ouverte, hébétée. Une seule idée tourbillonne dans votre tête vide. Vous allez dormir dans une chambre avec un homme!!! Allez-vous le voir en pyjama? Peut-être même tout nu?... TOUT NU!!! Avec « son petit truc »???...

Votre esprit se refuse absolument à envisager pareille hypothèse. Rien dans votre éducation ne vous a préparée à affronter une telle situation. Vous êtes au contraire trop polie pour avoir l'air de mettre en doute la parole de cher Papa-Patron – qui a l'âge de votre père – et trop timide pour faire un scandale.

Anéantie, muette, vous le suivez donc ainsi que le garçon qui porte vos sacs de voyage.

La porte de la chambre claquée sur le bagagiste qui vous sourit au passage, vous regardez avec horreur les lits, certes au nombre de deux, mais poussés côte à côte de façon à n'en former qu'UN. Symbole brusquement concret d'une intimité incestueuse.

Et Papa-Patron vous saute dessus.

Il vous enlace avec fièvre et couvre votre visage de baisers avides, en bramant :

– Enfin! Enfin!... Voilà des mois que je rêve de ce moment...

Le choc vous transforme en mou de veau.

– Mais... mais..., meuglez-vous faiblement.

Le sourire salace et amusé du bagagiste flashe dans votre esprit. Vous comprenez enfin. (Pas trop tôt!) Papa-Patron vous a attirée dans un piège pour faire « de vilaines choses » avec vous.

– Gros cochon! braillez-vous.

Vous vous débattez de toutes vos forces et, effarée, vous découvrez, pour la première fois, le visage brutal du mâle possédé par l'envie de baiser. Gentil Papa-Patron est devenu une bête à six mains tentaculaires dont l'une est agrippée à votre jeune sein droit et l'autre essaie d'écarter vos cuisses. Vous réussissez, à coups de pied et à coups de poing, à vous libérer du monstre et vous foncez vers la porte de la chambre. Vous descendez les escaliers comme une folle. Vous traversez le hall de même, sous l'œil surpris du Concierge et vous vous ruez dans la rue.

– Désirez-vous un taxi? vous demande majestueusement le portier en uniforme, surgi auprès de vous.

Oui. C'est ça. Un taxi. Pour vous enfuir. Loin de cette scène ignoble.

Malheur. Votre sac est resté dans la chambre maudite. Vous n'avez sur vous ni argent, ni passeport, ni billet de retour.

Vous rentrez dans l'hôtel pour vous cacher dans un immense fauteuil, dans un coin sombre du grand salon. Où vous éclatez en sanglots. Vous suffoquez si bruyamment que le Concierge, inquiet, vient vous demander si vous avez besoin de quelque chose.

– L'Ambassadeur de France, répondez-vous farouchement.

Le Concierge vous fait remarquer qu'à cette heure-là le noble représentant de votre patrie bien-aimée doit dormir.

Plus tard, lorsque au cours de vos voyages, vous serez amenée à connaître quelques Ambassadeurs de France, l'idée qu'un jour vous ayez pu croire qu'un de ces dignes messieurs serait sorti de son lit pour voler au secours d'une petite secrétaire menacée d'être violée par son patron vous fera toujours rire.

Un peu de sang-froid vous revient. Vous essuyez vos joues ruisselantes de larmes avec la manche de votre robe jaunasse. Vous remettez à plus tard l'étude du comportement incroyable de Papa-Patron et des hommes en général. Pour l'instant, vous allez passer la nuit en sûreté dans ce fauteuil. Demain, vous irez voir l'Ambassadeur de France (vous tenez à votre idée) pour vous faire rapatrier. Après-demain, vous entrerez au couvent.

Sur ces bonnes résolutions, vous vous endormez.

Vous êtes réveillée par une main qui prend doucement la vôtre. Vous hurlez. C'est Papa-Patron qui s'est assis dans le fauteuil à côté du vôtre. Il a l'air consterné.

— Pardon! Pardon! chuchote-t-il... je n'avais pas compris que vous étiez si... innocente!

Vous explosez à nouveau en larmes. Vous vous étiez jurée de ne plus jamais adresser la parole à cet immonde individu. Mais un torrent de paroles s'échappe malgré vous de votre bouche. Comment a-t-il pu se conduire ainsi, lui, votre Papa-Patron, le seul homme en qui vous ayez eu confiance depuis votre grand-père et pour qui vous éprouviez tant d'affection... filiale? À ce mot, il éclate à son tour en sanglots et s'essuie les joues avec la manche de son costume à lui. (Le Kleenex manquait à l'époque.)

En hoquetant, vous lui racontez tout. Votre enfance pieuse. Votre adolescence sage. Votre idéal : rester pure et vierge pour l'unique amour de votre vie : votre Époux selon le Christ et le Père de vos enfants.

— Mais je veux vous épouser! gémit Papa-Patron.

— Vous êtes déjà marié, vous avez cinq enfants et vous êtes beaucoup trop vieux, remarquez-vous en reniflant.

Papa-Patron ferme les yeux sous le coup cruel.

– N'en parlons plus! C'était un rêve fou. Je vous aime vraiment, vous savez.

Vous ne répondez pas.

– N'ayez plus peur, ajoute-t-il doucement, je vous donne ma parole d'honneur que je ne vous toucherai jamais plus.

Vous le croyez.

Vous passez le reste de la nuit, endormi chacun dans votre fauteuil, dans le grand salon de l'hôtel Ritz, sous l'œil surpris du Concierge qui vient faire des rondes. Vous vous tenez par la main.

C'est peut-être votre première nuit d'amour.

CHAPITRE V

Un vieux passeport recouvert de visas et de tampons illisibles.

De retour à Paris, Papa-Patron tint sa promesse. Il ne vous effleura plus – même la main –, ne vous jeta plus le moindre regard, évita même de vous adresser la parole. Il vous écrivait de petits billets très courts qu'il déposait, les yeux baissés, sur votre machine. Il annotait son courrier de « Répondez vous-même » griffonnés d'une main nerveuse. Si vous vous risquiez à lui parler, il vous fixait d'un air hagard comme si vous étiez le fantôme décapité de la Reine Marie-Antoinette.

L'idée grandit en vous qu'il était temps de quitter le journal *La Mode des femmes,* mais la terreur de vous retrouver à nouveau seule et sans argent sur le pavé de Paris vous pétrifiait comme une souris enfermée avec un boa.

Ce fut Papa-Patron qui craqua. Il vint se planter devant votre bureau et vous annonça d'une voix monocorde qu'il ne pouvait plus continuer à travailler à trois mètres de vous. Cela le rendait fou.

Il avait donc décidé, avec l'accord du Président, que vous alliez créer un service de Relations avec les Clients Étrangers. Vous seriez votre propre chef de service mais sans le titre (trop jeune) et sans le salaire

•

43

(toujours trop jeune. On verrait dans un an). Vous alliez vous installer dans un placard à balais transformé en bureau deux étages plus bas. Loin de lui. Mais sous sa surveillance.

Vous lui sautez au cou et l'embrassez comme du bon pain sur les deux joues.

Il sourit tristement.

Le premier problème grave que vous devez résoudre dans votre nouvelle activité est le règlement des additions de vos déjeuners et dîners d'affaires. Il n'était pas question à l'époque qu'une jeune fille sorte son porte-monnaie, après le café, sous le nez de Sud-Américains immédiatement offensés dans leur virilité. (Maintenant, quand vous invitez des metteurs en scène nettement plus jeunes, c'est à vous que le garçon tend systématiquement l'addition.)

Vous envoyez une note à Papa-Patron sur ce sujet capital. Il vous répond par mémo de retour qu'un compte généreux vous est ouvert chez Prunier et que l'addition ne vous sera même pas présentée, toujours pour éviter de froisser la susceptibilité de vos invités mâles. Vous passerez la signer dans l'après-midi. Votre chef était un précurseur. Surpris de ce procédé insolite, les Clients Étrangers crurent bon de vous envoyer, en remerciement, de splendides gerbes de fleurs. Ces bouquets attirèrent l'attention du Chef du Personnel, la terrible Madame P., qui vous poursuivait particulièrement de sa haine, vous n'avez jamais su pourquoi. Elle fit savoir à la ronde que vous étiez une petite putain. Seule une petite putain pouvait recevoir autant de fleurs, non? Et sur son lieu de travail, en plus! Vous restez impassible sous la calomnie. Vous avez votre conscience pour vous. Mais, pour vous venger, vous colportez à votre tour le récit du matin des noces de Madame P. (à vous raconté par votre copain, Jojo le coursier). Son mari l'avait plantée là pour aller à la pêche. Et n'était jamais

44

revenu. Depuis, frustrée, elle détestait les femmes, c'est-à-dire quatre-vingt-dix-neuf pour cent du personnel.

Vous commencez à voyager – seule – pour aller rendre visite à vos chers Clients Étrangers. Sous l'œil lointain mais qui ne vous lâchait pas de Papa-Patron.

C'est ainsi qu'un jour vous attrapez un Express international dans un coin perdu d'Autriche et vous vous trouvez bloquée quarante-huit heures par une tempête de neige fantastique dans l'immense plaine yougoslave. Où hurlent des bandes de loups (vous devez à la vérité d'avouer que vous n'êtes plus certaine qu'il y eût des loups, mais vous aimez à le croire).

Cette péripétie, qui ne sembla impressionner aucun voyageur du train, vous enchanta. Non, vous n'étiez pas faite pour les Affaires mais pour l'Aventure. Vous alliez devenir Miss Albert Londres et envoyer des reportages terrifiants à votre journal : « Le train enseveli à jamais sous la neige... Des centaines de voyageurs sous un linceul blanc dans la toundra... Les loups attaqueront-ils? », etc.

Vous êtes dans un compartiment en bois de quatrième classe. (Papa-Patron restreint farouchement vos notes de frais et les somptueux wagons-lits de l'Orient-Express ne sont pas pour vous.) En compagnie d'un ancien Ambassadeur fauché d'un petit pays d'Europe centrale. De Turcs aux formidables moustaches qui jouent interminablement avec des cartes minuscules. De grosses femmes yougoslaves, la tête recouverte d'un fichu à fleurs, qui partagent avec vous des nourritures étranges sorties d'énormes baluchons. Vous buvez même de l'*arak* au goulot d'une bouteille passée à la ronde. Vous dormez blottie contre un Syrien impassible.

Le train finit par repartir. Les contrôles de la police aussi. Les ampoules sont dévissées des dizaines de fois, les toilettes inspectées sans relâche, votre passeport lu et relu. Au matin du troisième jour, vous découvrez enfin la côte méditerranéenne, la mer, le soleil, le bleu tendre du ciel, les petites maisons blanches décorées de vignes. L'air soudain léger et tiède et la lumière adorable vous font comprendre mieux que tous les livres la civilisation grecque opposée au monde barbare.

Vous traversez la Turquie où, à Istanbul, vous allez dîner, seule femme dans un restaurant, provoquant presque une émeute.

Vous arrivez au Liban. Oasis de charme, de gaieté, de luxe. De paix. Beyrouth ressemble à une petite ville coloniale française et vous raffolez du *mezzé* dégusté le soir sur la terrasse de votre hôtel, surplombant la mer.

Les célèbres Frères Antoine, grands importateurs de journaux français, vous invitent à passer le dimanche avec eux, en famille. Le choix vous est offert : visite de Baalbek ou pique-nique sous les Cèdres du Liban. La culture très limitée des Bonnes Sœurs ne les ayant pas, hélas, amenées à vous parler de la civilisation phénicienne, vous choisissez les Cèdres du Liban évocateurs de la Bible, du Cantique des Cantiques, du roi David.

Le dimanche matin, une flottille de Cadillac où s'entasse le clan Antoine – parents, enfants, grands-parents, oncles, tantes, cousins, servantes – vous emmène vers la montagne.

Terrible déception. Il ne reste de la splendide et odorante forêt dont vous aviez rêvé que quelques arbres entourés de barbelés pour les protéger des chèvres. Votre déconvenue est balayée par la gentillesse générale. Tout le monde pique-nique, assis par terre, autour d'immenses nappes blanches brodées d'or, recouvertes de plats déposés par les servantes joyeuses. Temps admirable. Douceur dorée de la vie.

Personne ne pique-nique plus sur les collines d'Aïn el-Joura dévastées par la guerre. Honte aux Hommes.

Vous filez en Israël. Où, après avoir tenté de réconcilier deux libraires fâchés à mort (« Vous connaissez la blague juive ? vous dit l'un d'eux, quand il y a deux Juifs quelque part, il y a au moins trois opinions ! »), vous visitez un kibboutz. La tentation vous prend de tout quitter pour venir vivre avec ces colons chaleureux qui, la mitraillette à l'épaule, font pousser des orangers sur une terre jusque-là aride. Vous regrettez une fois de plus de ne pas être juive pour partager l'idéal de Sion.

Vous le regrettez moins, le samedi suivant, jour du Sabbat, où vous manquez, en traversant en taxi le quartier des Hassidim, d'être lapidée par des rabbins fous furieux. Et si laids avec leur teint livide, leurs papillotes et leurs chapeaux de fourrure par 40° C à l'ombre.

Avion de Tel-Aviv à Chypre où vous devez changer de passeport. Interdit en effet d'entrer en Égypte, pays arabe, avec un visa israélien. Vous avez donc deux passeports dont l'un dissimulé dans la boîte de vos serviettes hygiéniques. Si un policier trop zélé et sans pudeur le trouve, c'est la prison. Ce petit parfum de danger vous ravit. Avec votre enthousiasme juvénile, vous ne craignez rien ni personne. Peut-être la vision d'une jeune créature aux nattes candides, se promenant dans le monde comme dans le parc de Versailles, surprend-elle tellement que les mauvaises intentions restent au vestiaire. Ce ne sera que des années plus tard – lorsque vous aurez coupé vos tresses – que vous vivrez des incidents plus inquiétants.

Ainsi une longue soirée à l'aéroport de Tananarive.

Vous devez passer la nuit à Madagascar, en transit entre les Comores et les Seychelles. Le douanier malgache qui a regardé votre passeport à l'envers (un lettré) découvre dans votre valise le gros couteau de plongée sous-marine que vous vous attachez au mollet, en vous prenant pour une James Bond girl. Il pousse un grognement terrible, ameute des chefs qui poussent à leur tour des grognements terribles, ameutent leurs propres chefs, etc. Bref, vous vous retrouvez à 1 heure du matin dans un aéroport désert (tous les autres voyageurs ont disparu), entourée d'une foule menaçante de gabelous noirs qui vous accusent véhémentement de vous ne savez quoi, vos chers grands-parents ayant oublié dans votre éducation l'étude du malgache.

Vous avez beau enfiler votre masque, votre tuba et vos palmes et exécuter au milieu de l'aéroport force ridicules mouvements de brasse, ils ne veulent pas admettre que vous n'êtes qu'une simple fana de la plongée sous-marine. Vous, terroriste! Votre gros couteau n'est pas destiné à affronter les requins mais à poignarder le Président de la République. Quel Président de la République? Vous en êtes encore à la Reine Ranavalo!

La panique vous saisit. Ces imbéciles sont capables de vous jeter en prison. Et qui vous retrouvera dans un cul-de-basse-fosse malgache? Personne ne sait que vous êtes là, l'escale étant une formalité technique dont vous n'avez pas jugé bon d'informer votre famille. Vous allez passer le reste de votre vie, enchaînée dans une cellule sordide où grouilleront cafards, rats, serpents. Ou pire, livrée à la soldatesque.

Vous vous mettez à brailler : « Moi, journaliste française! » (Ce n'est pas vrai, mais comme ils ne savent pas lire votre passeport...) « Moi, vouloir voir Ambassadeur de France, tout de suite! » On notera chez vous un certain entêtement à réclamer le représentant de votre patrie bien-aimée alors que vous savez parfaitement que l'honorable diplomate ne se lèvera toujours pas au milieu de la nuit afin de venir délivrer une petite Française assez sotte pour se promener dans l'Océan Indien avec un gros couteau de plongée.

Vos cris furieux impressionnent cependant la meute douanière. Ils ont peut-être aussi sommeil. Leur agitation menaçante tombe d'un coup et le chef vous fait signe de foutre le camp. Vous vous enfuyez, traînant votre valise (mais sans votre couteau – confisqué) dans la nuit noire, désertée par les taxis. Sauf un qui rôde et qui, en échange d'une fortune en dollars, consent à vous amener à ce havre de salut : l'hôtel Hilton. Dont vous ne sortirez le jour suivant qu'à la dernière minute, pour monter dans la navette directe de votre Boeing.

Pour l'instant, vous êtes dans l'avion Tel-Aviv-Nicosie. Assise à côté d'une Circassienne. Du moins, c'est ce que vous avez décidé dans votre tête car vous ne savez rien d'elle. Mais vous avez lu quelque part – peut-être dans *Michel Strogoff* – que les Circassiennes étaient les plus magnifiques femmes du monde. Et votre voisine est d'une beauté saisissante. Les cheveux très noirs, les yeux verts légèrement en amande, une peau blanche d'une transparence de porcelaine, un corps de Tanagra. Tous les hommes de l'avion ont les yeux fixés sur elle et vous étrangleraient, s'ils le pouvaient, pour être à votre place.

La créature de rêve vous adresse aimablement la parole dans un français gazouillant et vous voilà bavardant comme deux vieilles copines. Découvrant que vous allez au même hôtel (pas difficile, il n'y en a

49

qu'un à Nicosie) vous décidez de partager le même taxi (toujours ça de gagné sur les chiches frais professionnels de Papa-Patron) et de dîner ensemble le soir.

Vous êtes ravie. Quand vous n'êtes pas invitée par l'un de vos clients locaux, vous avez pris l'habitude de prendre vos repas, seule, dans la salle à manger de l'hôtel, un livre ostensiblement ouvert à côté de votre assiette. Signal pour les mâles alentour qu'il est inutile de vous draguer.

Cela vous vaudra néanmoins un jour, beaucoup plus tard, une curieuse aventure à l'île Maurice.

Vous êtes en train de déguster un poisson grillé sur la plage, au bord du lagon, en compagnie d'un fascinant polar d'Ed McBain, quand un colosse noir, à une table à quelques mètres de vous, attire votre attention. Il déjeune seul, lui aussi, mais bruyamment. Passe ses commandes d'une voix tonitruante à une horde de garçons agités qui font un va-et-vient incessant entre lui et la cuisine. Visiblement un personnage important. Qui s'ennuie.

Brusquement, il se lève et vient s'asseoir à votre table.

Vous êtes indignée de cette intrusion malpolie mais vous restez impassible, continuant à lire comme si vous n'aviez pas remarqué sa présence.

– Vous lisez? demande-t-il en anglais.

Allons bon! Votre gigantesque gorille noir est non seulement mal élevé mais complètement crétin. Vous ne levez même pas les yeux de votre cher polar et dédaignez de répondre.

– Vous n'aimez pas les Noirs? interroge-t-il, visiblement mécontent.

De mieux en mieux. Un de ces bonshommes qui vous accusent de racisme si vous avez le culot de ne pas désirer faire la conversation avec eux.

– Non, je n'aime pas les Noirs, répondez-vous froidement, quand ils me dérangent dans ma lecture.

Le personnage se lève, furieux, en renversant sa chaise et rentre dans l'hôtel, marmonnant des menaces.

Les garçons du restaurant ont assisté à la scène, pétrifiés. L'un d'eux s'approche de vous et vous chuchote :

– Vous savez qui c'est?

– Non.

– Amin Dada.

Eh bé!

Vous vous êtes souvent demandé ce qui vous serait arrivé dans la vie si vous vous étiez laissé draguer par Amin Dada.

Vous seriez devenue la Première Dame de l'Ouganda?

Vous auriez fini, coupée en morceaux et dévorée par les crocodiles?

La vie est pleine d'occasions manquées.

Vous dînez avec votre Circassienne dans le jardin de l'hôtel de Nicosie, sous une treille recouverte de jasmin parfumé. Vient s'asseoir, pas très loin de vous, le Directeur de l'Agence de Voyages à qui vous avez confirmé, deux heures plus tôt, votre départ le lendemain matin sur l'avion du Caire. Il est accompagné d'un ami et d'un petit singe en laisse.

Pour lier conversation, vous ne sauriez trop recommander un petit singe. Dépasse largement les remarques du style : « Seule, Mademoiselle? »... « Vous désirez du feu? »... « Vous visitez notre beau pays? », etc.

Dix minutes après vous être esclaffées, la Circassienne et vous, aux grimaces de la joyeuse bestiole, George et Pierre sont assis à votre table. Ils se présentent : Grecs et célibataires. Ils vous offrent du *ouzo*. Ils s'intéressent surtout à votre compagne (nor-

51

mal, étant donné sa beauté). Vous expliquent que leur île magnifique et d'apparence si paisible est la proie de la convoitise à la fois de la Grèce et de la Turquie. Ah bon ? Vous, vous regrettez de n'avoir pas eu le temps de visiter la forteresse-palais de Guy de Lusignan, roi de Jérusalem, roi de Chypre.

Vos deux Grecs s'exclament. Ils vont vous y emmener. Juste le temps de s'arrêter boire en route un deuxième verre de *ouzo* parfumé, dans une petite taverne délicieuse, et vous serez à minuit à Kyrénia, pour admirer le donjon franc au clair de lune.

Vous hésitez. Votre aventure avec Papa-Patron a entamé votre belle confiance en l'Homme. Mais, d'un autre côté, vous imaginez mal le Directeur de l'Agence de Voyages de Nicosie, violant une de ses clientes. Et puis si viol il doit y avoir, ce sera celui de la splendide Circassienne. Qui n'a pas l'air du tout inquiète.

On y va.

La taverne a la gaieté et le charme méditerranéens. Vous apprenez à danser le *sirtaki*. Vous rebuvez de l'*ouzo*. Vous vous amusez comme une folle.

À un moment, la Circassienne s'excuse gracieusement de devoir s'éclipser. Vous la suivez aux toilettes où elle se remaquille. Vous vous félicitez toutes les deux de cette agréable soirée avec ces charmants Chypriotes.

– J'ai un petit service à vous demander, dit votre compagne, j'ai emporté bêtement dans ma pochette du soir, un rouleau de photos qui prend toute la place. Est-ce que cela vous gênerait de me le garder pour la soirée ? J'ai remarqué que vous aviez un grand sac.

– Avec plaisir.

Vous retrouvez vos nouveaux amis engagés dans une fiévreuse conversation en grec à laquelle vous ne comprenez rien (vos grands-parents ayant jugé suffisant de vous faire apprendre le latin mais pas le grec : vous n'êtes qu'une fille). Il est temps d'aller voir la forteresse de Kyrénia. Vous montez dans la voiture de George et la Circassienne dans celle de Pierre. Qui démarre dans une direction opposée à la vôtre. Vous froncez les sourcils. Votre compagnon vous rassure en souriant :

— Peut-être ont-ils plus envie d'être seuls tous les deux que de visiter de vieilles ruines?

Oh! Oh! Vous n'aimez pas cela du tout. Votre inquiétude grandit. Vous continuez à vous raccrocher à l'idée que le Chef de l'Agence de Voyages de Nicosie, représentant d'Air France, ne peut vous violer. Mais pourquoi pas, après tout? Qui vous croira? Peut-être même vous dira-t-on : « C'est bien fait. Une jeune fille convenable ne se balade pas la nuit dans une île inconnue avec un Grec célibataire escorté d'un petit singe plein de puces. »

Bah, vous verrez bien. L'*ouzo* vous donne du courage.

Le palais-forteresse des Lusignan se dresse soudain devant vous, gigantesque et noire silhouette contre la mer illuminée par la lune. Sa beauté vous coupe le souffle. Vous rêvez. Chevaliers sur leurs chevaux piaffant. Oriflammes brandies. Belles dames souriantes. Sonneries des oliphants.

George respecte votre silence émerveillé.

Vous marchez sur la plage fluorescente. Bruit de soie du ressac de l'eau sur le sable. Quelle nuit magnifique.

— Voulez-vous vous baigner? demande votre compagnon tout à coup.

— Je n'ai pas de maillot de bain, avouez-vous piteusement.

— Cela ne fait rien. Je ne regarderai pas.

Vous n'en croyez pas un mot. Mais, ce soir, vous avez toutes les audaces (l'*ouzo*, toujours). Vous arrachez vos sandales, votre robe...

... et l'ombre de Mère Saint-Charles se dresse devant vous et vous enjoint de n'enlever rien d'autre.

Vous entrez donc dans la mer, équipée de votre soutien-gorge, votre culotte Petit-Bateau et une chaste combinaison de coton sans laquelle vous ne seriez pas une jeune fille comme-il-faut.

Quand vous ressortez, George, étendu sur le sable, vous regarde avec curiosité.

– Vous prenez toujours vos bains de minuit tout habillée?

– Bien sûr! affirmez-vous gaiement. Pour éviter les rhumes.

Il reste silencieux et pensif un long moment.

– Comment avez-vous connu Zédah? demande-t-il d'une voix sèche tout à coup.

– Qui est Zédah?

– Votre amie... avec qui vous voyagez.

– Ce n'est pas mon amie. Elle est venue s'asseoir à côté de moi dans l'avion et elle m'a invitée à dîner. Je ne la connais pas. Pourquoi?

Nouveau silence.

– Je vous crois, finit par dire George, solennellement. Une jeune demoiselle qui porte encore ses nattes et prend ses bains de minuit en combinaison de coton ne peut être une espionne.

Qui ça, une espionne?

Vous?

Non. Elle. La Circassienne.

Et voilà votre compagnon parti dans une longue explication. Pierre et lui font partie de l'EOKA, une organisation secrète luttant pour le rattachement de Chypre à la Grèce. On leur a signalé l'arrivée d'une espionne israélienne par votre avion. (Que vient faire une espionne israélienne dans cette bagarre entre Grecs et Turcs? Qu'importe.) La rencontre de ce soir n'était pas fortuite. Ils ont cru que vous étiez complices. George s'est chargé de vous et Pierre de

Zédah. Tandis que le patron de l'hôtel fouille vos chambres.

Vous éclatez de rire.

Vous vous arrêtez de rire.

Vous avez dans votre sac, posé sur le sable à côté de vous, un rouleau de photos inconnues.

Devez-vous l'avouer à George qui parle de sa patrie, la Grèce, avec passion? Et qui ne vous a pas violée en fin de compte (un vrai gentleman).

Vous hésitez.

Vous pensez à M. Lévy qui vous a empêchée de mourir de faim avec son bol de café au lait. Vous songez au kibboutz où vous auriez aimé vivre.

Vous ne dites rien à George.

Il vous ramène à votre hôtel, frissonnante dans votre lingerie trempée sous votre robe et vous embrasse sur les deux joues.

– Que Dieu vous garde, jeune demoiselle, mais à l'avenir, méfiez-vous aussi des femmes!

Le lendemain, très tôt, quand vous quittez l'hôtel, Zédah n'est toujours pas rentrée dans sa chambre.

Vous jetez le rouleau de photos dans les toilettes de l'aéroport de Nicosie.

Que pouvait-il y avoir dessus?

CHAPITRE VI

La petite facture.

Vous revenez de Grèce en Italie par un bateau du Pirée qui traverse le canal de Corinthe, si étroit que vous pourriez presque attraper à la main les renards qui courent sur les talus de terre ocre.

Vous devez débarquer à Bari et prendre le train de nuit pour Rome. Au pied de la passerelle, vous êtes entourée par une foule joyeuse de diables cornus aux pieds fourchus, de princesses orientales bariolées, de petits marquis en tricorne. Tous masqués. Il y en a des milliers qui dansent, chantent, rient. La ville entière s'est déguisée et fête Mardi gras, à la lueur de torches qui éclairent les façades anciennes. Spectacle étrange et superbe.

Un Pierrot, tout en noir avec une collerette blanche et des bandes rouges au bas de sa robe, vous prend la main.

— Restez avec nous. C'est la nuit du Carnaval. Tout est possible.

— On m'attend à Rome, protestez-vous.

— Vous prendrez le train demain matin. Quelques heures de retard, ce n'est rien dans la vie.

L'envie vous prend de suivre cette foule joyeuse, crépitante, dansante. Vous déposez vos bagages à la consigne, vous achetez un loup noir à un petit éventaire dans la rue et vous vous enfoncez dans le tourbillon de la fête. La main dans celle du Pierrot.

La ville est comme soûle. Vous aussi. Vous êtes enivrée de musique, de rires, de chuchotements. Vous suivez des farandoles au hasard des rues. Vous badinez avec des inconnus. Vous échangez des folies avec votre Pierrot qui a la voix caressante et de superbes yeux sombres à travers son masque.

L'aube se lève. La fête s'achève.

Il est temps de quitter la ville.

Le Pierrot se démasque. Il est jeune, beau, brun, ardent.

— *Ti amo*, dit-il en vous embrassant. Je te suivrai au bout du monde.

Et il monte avec vous dans le train de Rome. Sans bagages, insouciant, joyeux, amoureux. Ce geste un peu fou vous exalte.

L'express s'ébranle. Vous êtes lovée dans les bras du garçon. Folle de ses baisers. Dingue amoureuse. Si Mère Saint-Charles vous voyait ainsi, vautrée sur la banquette du Bari-Rome, elle en aurait une jaunisse. Trop tard. Vous avez perdu la tête. On ne dira jamais assez la supériorité érotique du train sur l'avion. On peut s'y enlacer, chuchoter bouche contre bouche, s'y caresser, alors que les fauteuils d'Air France sont scandaleusement incommodes pour les étreintes voluptueuses. Vous apprenez que votre beau soupirant est calabrais, enseigne de vaisseau dans la grande marine italienne et que vous êtes la femme qu'il attendait depuis toujours.

Votre express s'arrête en pleine campagne. Ne repart pas. Vous remarquez à peine. Les voyageurs autour de vous — vous les apercevez dans un vague brouillard — s'agitent, vont voir ce qui se passe, reviennent fort émus.

Le train de nuit précédent a eu un terrible accident. Des centaines de morts.

Vous auriez dû être dedans.

– C'est le destin, *Carissima mia*! dit Arturo, en vous serrant farouchement contre lui. Le destin qui t'a sauvée... pour moi!

Votre convoi finit par arriver à Rome où une mauvaise surprise vous attend. Le représentant local de *La Mode des femmes* est là, sur le quai, vous cherchant, affolé. Papa-Patron a appris la catastrophe et lui a téléphoné dès l'aube. Depuis le matin, le signore Alberto regarde si votre nom figure sur la liste des morts. Mais quel bonheur, vous voici! *Grazie, grazie, Madonnina mia*!

Vous avez un mal de chien à vous débarrasser de lui, prétextant que vous devez vous remettre du choc – que vous n'avez aucunement ressenti – en allant passer le week-end aux îles Borromées. Si, si. Vous le chargez de rassurer Papa-Patron et vous sautez dans le train de Milan. Suivie d'un Arturo discret.

Un léger brouillard recouvre le lac Majeur d'où émergent, floues et romantiques, les îles Borromées. Est-ce la nuit blanche? Est-ce l'amour? Votre sensibilité est à vif et la beauté du paysage vous bouleverse. Vous êtes avec Arturo sur une colline qui surplombe le lac (vous ne saurez jamais comment vous êtes arrivés là). Dans un champ de narcisses au parfum sauvage.

Arturo vous embrasse lentement. Savamment.

Et la violence du désir explose en vous. Impossible à maîtriser. Votre sang brûle. Votre corps est emporté par un fleuve irrésistible. Adieu éducation, peur de l'Homme, vœu de pureté. Vous vous retrouvez couchée sur les narcisses froissés à l'odeur enivrante.

Vous découvrez la folie du plaisir.

Arturo a découvert, lui, que vous étiez vierge. Il se redresse, stupéfait.

— Quel merveilleux cadeau, *amore mio, che bello! Grazie, grazie...,* tu es ma femme pour toujours!

Il pousse un grand cri sauvage et arrache une poignée de narcisses tachés de votre sang qu'il enfouit sous sa chemise, sur sa poitrine.

Vous rentrez à Paris à l'heure, malgré tout, pour la Pointeuse. Vous rêvez, éveillée, dans l'attente des lettres quotidiennes et passionnées d'Arturo qui a rejoint sa base militaire de Livourne. Vous répondez sur le même ton, enfermée dans votre bureau-placard, essayant de prétendre que vous vous intéressez encore à votre travail.

Vous en êtes à la quarante-troisième missive délirante lorsque, la nuit, vous vous réveillez en sursaut, malade d'angoisse, avec la certitude de ce que vous ne voulez pas admettre depuis quelques jours.

Vous êtes enceinte.

VOUS ÊTES ENCEINTE.

Vous ressentez d'abord une étrange stupeur. Sentiment que vous éprouverez à chaque fois que vous vous retrouverez dans cet état, même volontairement. Le mystère en vous vous surprendra toujours.

Puis l'horreur de la situation vous foudroie.

Qu'allez-vous faire?

Épouser Arturo? Devenir la femme d'un officier de marine italien? Vous n'êtes pas préparée à ce surprenant destin. Comment ça vit, un officier de marine italien? De port en port? Ou allez-vous devoir vous installer en Calabre (ça se trouve au talon de la botte, non?) au milieu d'une tribu inconnue. Sous l'autorité d'une mama sèche, noiraude et hostile. Vous croyez savoir que les Calabrais sont encore plus sauvages que les Siciliens. Le fantôme de votre grand-père ne supportera jamais ce mariage. Votre famille non plus.

Rupture assurée.

Vous vous levez et vous écrivez une longue lettre affolée à Arturo.

La réponse vous parvient par retour.

Vous la relisez trois fois.

Vous n'arrivez pas à y croire.

Votre fougueux amant est bien embêté. Vous êtes jeune... Lui aussi... Est-ce bien raisonnable de se marier sans vraiment se connaître?... D'avoir un enfant si tôt?... Sa carrière... La vôtre... Envisager votre vie en Calabre est pure folie... Bref, il espère que « les nuages qui obscurcissent le ciel bleu de votre amour vont bientôt disparaître... ».

SALAUD. SALAUD. SALAUD. SALAUD.

Vous devez affronter la situation, seule. Votre bel amoureux s'est débiné.

Être Fille-Mère? Inimaginable dans Vos Familles. Sauf pour les servantes engrossées par leurs maîtres et que l'on jette dehors avec quelques sous. Vous aussi, vous serez chassée de la chambre/lingerie de votre grand-mère (mais sans les sous). Peut-être même pire : renvoyée de votre travail. Fille-Mère, c'est la honte à vie. Fille-Mère, c'est porter à l'épaule la marque au fer rouge des criminelles de l'Ancien Régime.

Et puis que faire dans la vie d'un petit garçon noiraud et bouclé? (Curieusement, vous n'envisagez pas une fille.) Vous vivez déjà chichement de votre salaire de secrétaire (on ne vous a toujours pas augmentée, comme promis). Et ce n'est pas ce lâche de Calabrais qui vous enverra la moitié de sa solde pour élever son fils.

Vous vous sentez comme une renarde prise dans un piège implacable.

La Solution. Hideuse.

L'Avortement.

Horreur. Terreur. Péché mortel.

Défendu par Dieu. Interdit par la loi. Puni de prison.

Tant pis.

Vous prenez votre décision.

Mais comment avorte-t-on? À qui demander conseil? Où trouver une adresse?

Votre famille? Il n'en est pas question. Votre médecin? Il vous fera la morale et basta! Vos cousines? Elles vous regarderont avec horreur et mépris! Suzanne, la secrétaire du Chef de Publicité du journal, votre meilleure copine au bureau? Peut-être.

Vous l'invitez à boire un café au petit bistrot du coin. À voix basse, au milieu du chahut général, vous lui révélez votre drame.

— Merde! s'exclame-t-elle.

Elle compatit. Et vous couvre de recommandations. Surtout ne pas s'adresser à une de ces fausses sages-femmes qui, sur la table d'une cuisine crasseuse, vous enfoncent une aiguille à tricoter dans le col de l'utérus. Et vous mutilent à jamais. C'est ce qui est arrivé à Simone. Ah! parce que, Simone, elle aussi?... Ben oui, qu'est-ce que tu crois?... À presque toutes les filles du journal. Vous êtes abasourdie de cette découverte. Et un peu consolée de ne pas être la seule à affronter cette horrible épreuve. En attendant, Simone, elle ne peut plus avoir d'enfants.

Éviter également les injections d'eau savonneuse. Ça marche quelquefois mais on risque aussi de crever d'une embolie gazeuse. Plutôt des pastilles de permanganate. Qui peuvent déclencher d'effroyables hémorragies. Josette s'est retrouvée aux urgences à l'hôpital où un fumier d'interne, pour « la punir », lui a fait un curetage à vif. Elle a cru mourir de douleur.

La quinine? Aussi efficace qu'un verre d'eau.

Dernier conseil : surtout ne pas faire faire d'analyse sur une grenouille, sous prétexte de vérification. Le labo peut vous dénoncer. C'est arrivé à Jeanne.

Il ne reste qu'une seule solution : l'étranger. Angleterre. Hollande. Suisse. C'est en Suisse que les cliniques sont les plus propres.

Mais où trouver l'adresse d'une clinique en Suisse? Suzanne va demander aux filles.

Dès l'après-midi, toutes les secrétaires sont au courant de votre malheur. Elles viennent, sous un prétexte ou un autre, vous voir dans votre bureau et vous serrer la main. Certaines vous embrassent. Courage. On est avec toi. Vous découvrez, ce jour-là, la solidarité féminine qui, à quelques exceptions près, ne se démentira jamais.

Le soir, à la Pointeuse, Suzanne vous chuchote : une des dactylos de la Comptabilité a une amie qui a un frère, jeune médecin, qui connaît, paraît-il, une clinique à Genève où l'on peut s'adresser en toute confiance.

On vous fait passer l'adresse le lendemain.

Sauvée.

Non. Parce que c'est cher et que vous n'avez pas l'argent.

Impossible de demander une avance sur salaire. Papa-Patron vous harcèlerait de questions. Madame P., le Chef du Personnel, se ferait un plaisir de vous la refuser. Vous êtes si désemparée que vous n'arrivez même pas à trouver un mensonge intelligent.

Ni un moyen de vous procurer la somme voulue. D'urgence. Le temps presse. Vous savez que les cliniques suisses ne pratiquent plus d'interruption de grossesse, passé un certain délai.

Sauvée une deuxième fois : votre père est justement de passage à Paris. En permission d'Indochine. Il vous invite à déjeuner. Vous raconte longuement sa guerre. Vous n'osez l'interrompre. Le cœur vous manque au moment de prononcer la phrase fatale : « Je suis enceinte. » Il vous raccompagne à votre bureau. Et là, dans la foule des Grands Magasins qui vous bouscule, vous prenez votre courage à deux mains et lui demandez un « prêt ». Sans explications. Les mots effrayants ne passent toujours pas vos lèvres.

Il fronce les sourcils.

— Je n'ai pas un sou ! s'exclame-t-il, mécontent, ma solde suffit à peine à entretenir ma femme et mes deux enfants... (il a eu, depuis la dernière fois où vous l'avez vu, une autre fille. Encore et toujours « des pisseuses ». Ah ! Ah !). Mais je ne comprends pas : je croyais que tu gagnais ta vie, maintenant ?

Vous ne répondez pas. Effondrée. Votre silence le met mal à l'aise. Il pique une colère.

— Et puis, je ne te dois rien. Demande à ta mère. J'ai pris les torts du divorce à ma charge, par élégance, mais si tu veux savoir la vérité...

— Non ! criez-vous farouchement.

Vous éclatez en sanglots. Vos jambes flanchent et vous vous écroulez assise sur le trottoir, la tête entre les genoux, toute superbe envolée.

Père est atrocement gêné de voir son héritière aînée se livrer à cette pantomime larmoyante devant la foule des Magasins du Printemps.

— Relève-toi immédiatement, commande-t-il d'une voix glaciale, et tiens-toi convenablement. Qu'est-ce que c'est que ces manières ?

Il se radoucit cependant.

— Bon, bon, marmonne-t-il, j'ai un album de gravures authentiques de Jacques Callot qui me vient de mon père. N'importe quel expert t'en donnera une fortune. Je le déduirai de ta part d'héritage.

Votre fierté est tellement en miettes que vous murmurez, misérable :

— Merci, Papa!

Il vous faut maintenant trouver l'adresse d'un expert. Vous ne savez plus qui vous l'a donnée. Vous vous revoyez simplement dans un bureau solennel où un gros monsieur, confortablement installé dans un fauteuil Empire, examine l'album de Jacques Callot. Il n'a pas daigné vous faire asseoir.

Silence.

— Ce sont des reproductions, cela ne vaut rien, déclare-t-il enfin.

— Impossible! C'est un souvenir de famille, protestez-vous.

— Vous savez, on se fait toujours trop d'illusions sur les souvenirs de famille, ricane le gros marchand.

Une nausée vous tord l'estomac. Parce que maintenant, le petit Calabrais se rappelle à votre souvenir vingt-quatre heures sur vingt-quatre.

— Où sont vos toilettes? Vite!

À votre retour, vous avez la bouche amère et les larmes aux yeux.

— Vous avez vraiment besoin d'argent? interroge l'expert en tapotant de ses doigts boudinés votre pauvre album.

Vous hochez la tête.

— Bon. Je vais vous acheter ces reproductions qui n'ont aucun intérêt (était-ce vrai ou vous a-t-il volée? Vous ne le saurez jamais)... mais surtout l'or que vous portez autour du cou.

— Mais ce sont toutes mes médailles de baptême et de communion!

— C'est cela ou rien.

Vous détachez la chaîne où est accrochée une bonne demi-douzaine de grosses médailles gravées à votre nom.

Adieu, symboles de votre enfance et de votre foi naïve auxquels vous teniez tant!

C'est justice. Vous avez fauté. Vous ne les méritez plus.

Le prêtre à qui vous avez confessé votre péché de chair vous a refusé l'absolution lorsque vous lui avez révélé votre décision de ne pas garder l'enfant du Mal. Il n'a pas eu un mot de compréhension, de compassion, de charité. Vous vous êtes enfuie du confessionnal. Il vous a poursuivie à travers l'église, glapissant des malédictions d'une voix criarde, au grand effroi des dévotes en train de marmonner leurs patenôtres.

Malgré l'horreur d'une pareille scène et la terreur des flammes de l'enfer, auquel vous croyez, vous avez tenu bon.

C'est la première fois que vous vous rebellez contre votre mère, l'Église. Mais une force sauvage vous pousse. Peut-être l'instinct de survie? Ou un profond sentiment d'injustice.

La clinique suisse où vous avez retenu un lit pour le week-end – aucune absence au bureau ne doit révéler votre voyage à Genève – vous remet l'adresse de deux médecins qui doivent donner leur accord à toute interruption de grossesse.

Le premier s'en fiche et vous signe un certificat à la hâte. Sa salle d'attente est pleine de malheureuses aux visages affolés, bouffis de larmes.

Vous courez chez le second. Il semble plus réticent. Vous questionne longuement. Suce son stylo, émet des gargouillements avec son ventre. Vous avez envie de pleurer d'humiliation. Votre destin dépend de cet homme antipathique et suffisant.

Et s'il refusait? Vous n'envisagez alors qu'une solution: vous jeter dans le lac Léman et vous y noyer.

Du reste, vous êtes tellement lasse que vous vous demandez si cela ne serait pas la bonne issue.

66

Le praticien helvète vous demande ce que votre mère en pense.

– Elle est dans une clinique spécialisée, murmurez-vous platement. (À noter que ce genre d'endroit s'appelle, on se demande bien pourquoi, « maison de santé ».)

Le visage du médecin s'éclaire alors :

– Parfait! Parfait! jubile-t-il.

Il vous interroge longuement sur le passé psychiatrique lourd de votre mère. Il est passionné. Enchanté. Et, à votre grand soulagement, signe votre certificat.

– Je note : « Antécédents psychotiques justifiant une intervention », vous annonce-t-il gaiement.

Pour une fois, merci Maman!

Clinique. Un petit lit blanc dans une file de petits lits blancs vous rappelant le dortoir du pensionnat.

Immense soulagement du réveil. Terminé, le cauchemar. Vous n'éprouvez aucun regret. Aucune tristesse. Vous n'en ressentirez jamais.

Vous rentrez à Paris avec votre facture de 103,40 francs suisses, Clinique M. à Genève, que vous vous jurez de toujours garder.

Ne jamais oublier.

Vous envoyez un mot à Arturo pour lui annoncer « que les nuages qui obscurcissaient le ciel bleu de votre amour » ont disparu...

Quinze jours plus tard, une lettre délirante de soulagement et de passion vous parvient. Comme un bonheur n'arrive jamais seul, votre bel Italien vous annonce qu'il vient d'être promu lieutenant de vaisseau et qu'il va prendre le commandement d'un aviso dans un petit port de Sicile.

Où il attend, avec tout son amour, sa Carissima.

La Carissima monte alors dans le train pour la Sicile. Vingt-trois heures de voyage d'affilée pour atteindre un quai absolument désert où le soleil flambe sur une mer plombée et un minuscule bateau gris qui ressemble à un jouet.

La Carissima descend de son taxi.

Sur le pont, tout l'équipage en blanc se tient au garde-à-vous.

La Carissima monte la passerelle tandis que retentissent les sifflets d'honneur traditionnels lancés par un matelot.

Le lieutenant de vaisseau Arturo S. accueille la Carissima à la coupée avec un salut impeccable...

... et reçoit deux gifles magistrales qui semblent résonner dans toute la Sicile.

Le lieutenant de vaisseau Arturo S. devient livide.

Un silence écrasant s'abat sur l'équipage effaré, toujours au garde-à-vous.

La Carissima redescend la passerelle (sans sifflets d'honneur cette fois), remonte dans son taxi et rentre en France (vingt-trois heures de train d'affilée).

Et maintenant, crève, chien de Calabrais !

CHAPITRE VII

Le premier livret de famille.

Vous redoutez le crépuscule du dimanche, au fond de votre lingerie sombre. C'est le seul moment de la semaine où la mélancolie réussit à vous rattraper. Le reste du temps, vous galopez trop vite. Vous travaillez frénétiquement. Vous dansez comme une diablesse des nuits entières au Tabou, à la Rose rouge, au Vieux Colombier ou même chez Mimi Pinson, avec votre bande de cavaliers « bien élevés ». (Vos petits-enfants, plus tard, se rouleront de rire à l'idée que leur grosse grand-mère ait pu être une acharnée du be-bop acrobatique : « Vraiment, tu sautais en l'air comme ça, Mamie? ») Vous refusez désormais à vos amoureux le moindre baiser. Vous avez vu où la folie du sexe pouvait vous mener. Vous avez retrouvé votre gaieté de jeune fille.

Mais vous ne supportez pas votre solitude lorsque la nuit tombe, le dimanche soir.

Vous vous lancez dans un deuxième boulot.

L'aventure calabraise vous a appris la faiblesse de vos sens, la lâcheté des hommes, mais aussi le drame de la pauvreté.

Vous décidez donc de réclamer une augmentation. Après tout, voilà un an que vous avez créé le Service des Relations avec les Clients Étrangers mais que vous avez toujours le titre et surtout le salaire d'une simple secrétaire. Vous prenez votre courage à deux mains. On vous a appris pendant votre enfance à ne jamais prononcer le mot « argent » équivalant au mot « caca », pour lequel on employait par ailleurs l'euphémisme : « grosse commission ». (Vous vous êtes toujours demandé pourquoi.)

Vous grimpez deux étages avec l'âme d'un soldat montant au feu et tapez à la porte de Papa-Patron. Qui vous accueille avec affabilité mais se rétracte comme une huître recevant un jet de citron aux quatre syllabes d'aug-men-ta-tion.

— Vous n'êtes pas bien avec nous? demande-t-il, mécontent.

— Si, bredouillez-vous, mais il serait normal que je sois un peu mieux payée, non?

Ouf! Vous l'avez dit.

— Cela ne dépend pas de moi mais du Président V.

Menteur! Décidément, les bonshommes, c'est trouillard et compagnie. Vous tournez les talons et vous grimpez un étage de plus, celui du Président V. Il consent à vous recevoir. Et vous écoute vaguement en se coupant les ongles avec d'immenses ciseaux.

— Pourtant, vous avez la place la plus amusante de tout le journal, remarque-t-il.

— C'est vrai, reconnaissez-vous honnêtement, mais je travaille beaucoup, j'ai créé mon propre service, j'ai des responsabilités et je crois que je mérite d'être mieux payée qu'une simple secrétaire.

— Vous êtes bien jeune! s'exclame-t-il, si je vous augmente maintenant, qu'est-ce que je vous donnerai à trente ans?

— Ce que je vaudrai. Je ne croyais pas qu'ici, au journal, on était noté à l'ancienneté comme à la Poste, ripostez-vous avec, vous semble-t-il, une certaine hauteur.

Il rit.

70

– Bon, bon. Attendez encore un an! Allons! Ce n'est pas long, un an, à votre âge!

– Mais on m'avait promis cette augmentation, il y a DÉJÀ un an!!!

Il lève les yeux de son travail de manucure et cette fois rigole franchement.

– Promis...! Promis...! Mais où irait-on, ma petite fille, si l'on tenait toutes ses promesses dans la vie?

Vous le regardez, abasourdie. Ainsi, c'est ça, un adulte? Non seulement un salaud qui ne tient pas sa parole mais qui s'en vante en plus. Vous avez déjà découvert la couardise avec le Calabrais. Vous découvrez maintenant le cynisme avec le Président V. Votre idéalisme d'adolescente en prend un grand coup. Pourriture! Le monde est pourriture!

Vous redescendez chez Papa-Patron et vous lui faites une telle scène d'hystérie qu'il s'élance à son tour dans l'escalier du Président V. (le personnel suit avec passion ces allées et venues agitées). Vous ne savez pas ce que se disent les deux hommes. Compromis : vous êtes nommée « sous-chef de service » (sans chef de service) avec une légère, très légère augmentation de salaire. La vraie arrivera dans un an.

Vous conservez de cette péripétie une haine vivace contre le Président V. D'autant plus que vous apprenez qu'il est connu pour ses idées sociales « avancées » et pérore dans les salons sur la solidarité avec les travailleurs en lutte. Le jour où il mourra d'une crise cardiaque à son bureau, une heure avant d'aller vendre son journal à un énorme groupe de presse – en cachette de son personnel à qui il avait déjà cédé une part de ses actions –, vous n'aurez pas une rognure d'ongle de regret.

Et, lors de son enterrement, au milieu de ses employés éplorés, transportés par cars au cimetière, au lieu d'asperger sa tombe d'eau bénite, vous cracherez dessus.

– Tu es folle! murmure Suzanne qui a surpris votre geste, c'est sacrilège!

– Je ne suis plus à un sacrilège près, répondez-vous avec emportement.

– Ce n'est pas parce qu'il t'a refusé une augmentation de salaire que...

– Non! C'est parce qu'à cause de lui... et d'autres... je ne crois plus en rien!

Vous êtes encore trop jeune pour savoir que la petite fleur Illusion va repousser opiniâtrement en vous et qu'à cause d'elle, vous continuerez à vous livrer à plein de sottises.

En attendant, Papa-Patron, embêté, vous a trouvé un deuxième boulot. Vous allez entrer dans un Syndicat, qu'il préside, des Exportateurs de Magazines Français. Désormais, en voyage, cela vous donnera plus de poids, assure-t-il. Vous découvrirez que non. Votre activité principale consistera à obtenir, avec l'aide du conseiller culturel de l'Ambassade de France, la décoration locale pour le directeur de votre Syndicat. Celui-ci, un Russe blanc doté d'une énorme moustache de cosaque, s'est juré de porter toutes les décorations du monde sur un thorax extraordinairement large et corseté de fer (conséquence de nombreuses blessures de guerre).

Vous perdez un temps fou en tractations pour lui obtenir le *Trésor Sacré* du Japon, le *Mehjidié* turc ou la *Croix du Sud* du Brésil, etc. M. Outhchnikoff est très content de vous. Quant à vos rapports sur la vente des magazines français à l'étranger, il ne les lit pas. Cela vous est égal. Vous bénéficiez d'une petite combine financière.

Le Syndicat annonce triomphalement à ses membres que ses Services Comptables peuvent se charger d'obtenir pour eux le remboursement d'une taxe à l'exportation, moyennant dix pour cent de commission sur les sommes récupérées. Les « Services Comptables » c'est vous, munie d'un crayon. Les dix pour cent sont pieusement partagés entre M. Outchnikoff et vous. Vous êtes épatée de constater qu'aucun directeur financier d'aucun journal n'a l'idée de faire exécuter vos calculs par ses propres employés, économisant ainsi de jolies sommes dont la moitié s'engrange sur votre livret de Caisse d'Épargne.

Et puis, un sale dimanche pluvieux, sur vos colonnes de chiffres, vous craquez.

Vous décidez de vous marier.

Un mariage de raison. « Une fin », comme on le chuchotait dans Vos Familles où l'on lisait beaucoup Paul Bourget.

Après tout, vous êtes vieille. Vous avez vingt ans.

Vous allez épouser un garçon gentil, bien élevé, amoureux de vous (vous, vous n'aimerez plus jamais un homme : le Calabrais vous a brûlé le cœur !), à qui vous donnerez de beaux enfants (trois), que vous ne tromperez jamais (pas question de divorce, oh non !) et avec qui vous vieillirez, la main dans la main. Voilà.

Cette image saint-sulpicienne vous exalte. Des générations de grands-mères ont fait, avant vous, des mariages « arrangés ». Et cela a marché sans trop de meurtres. (Si. Un. Mais ceci est une autre histoire.) Vous allez suivre leur exemple. C'est votre destin de femme.

Étant douée d'un tempérament porté à l'action, vous décidez de choisir immédiatement l'élu.

Pour une raison inexplicable, vous êtes entourée d'une foule de prétendants qui semblent rêver, tous, de se marier avec vous. À noter que cette situation durera une partie de votre vie. Vous ne comprendrez jamais pourquoi. Peut-être avez-vous bêtement la tête d'une femme qu'on épouse ?

Vous hésitez : Bertrand ou Jean-Louis?

Bertrand. Gentil. Beau. Riche. Héritier d'un grand nom. Toutes les filles sont folles de lui et lui de vous. Vous, vous le trouvez secrètement un peu conventionnel et pas très intelligent. Fera sûrement néanmoins un bon mari. Vous risquez en revanche de vous embêter un peu. Tant pis. Vous aurez une vie calme, confortable, droite comme une route de la Beauce.

Jean-Louis. Laideur intelligente. De la classe et un charme fou. Fauché. Ce qui ne l'empêche pas de prendre son thé servi à 5 heures par le maître d'hôtel, en gants blancs, de ses parents (père banquier). Peut-être paresseux. Mais tellement spirituel... bien que son humour vous bouscule parfois un peu.

Lorsque vous avez été invitée, grâce aux intrigues de votre tante Hildegarde, à l'un des grands bals les plus huppés de Paris, c'est lui que vous avez prié comme cavalier.

Vous vous en êtes félicitée. Il a gardé son sang-froid devant votre minable robe du soir fabriquée avec un vieux fond de satin rose prêté par votre chère cousine Isaure, sur lequel l'ancienne petite couturière de votre grand-mère a cousu un dessus de tulle blanc ressemblant à une moustiquaire et que vous avez parsemée de nœuds en velours noir maladroitement noués par vos soins. Bref, une horreur. Mais dans laquelle vous vous preniez pour Scarlett O'Hara.

Vous êtes arrivée fièrement dans cet arroi, au bras de Jean-Louis, impeccable dans son smoking, et vous avez commencé à gravir l'escalier de l'hôtel particulier du comte et de la comtesse de C. et de Mademoiselle Marie-Françoise de C. en l'honneur de qui se donnait ce bal somptueux.

Au milieu des marches, vous vous êtes arrêtée pile.

Écarlate de honte.

— Qu'est-ce qui se passe? chuchota Jean-Louis, tandis que les autres invités vous bousculaient et que la famille de C. se penchait pour voir l'origine du bouchon qui encombrait son escalier.

– L'élastique.... heu... de ma culotte a craqué! avez-vous été obligée d'avouer, consternée.

Votre Petit-Bateau de coton blanc était entortillé autour de vos chevilles, entravant votre altière démarche et ne vous laissant souhaiter qu'une chose : que la terre s'entrouvre et vous engloutisse, vous et votre culotte.

– Fais-moi confiance! murmura alors votre cavalier. Il se pencha et, d'un geste vif, arracha de vos chevilles cette intime pièce de lingerie qu'il enfouit dans la poche de son smoking.

Vous reprenez alors tous les deux l'ascension de l'escalier pour aller saluer la hautaine comtesse de C. qui ne se doutera jamais que la jeune créature qui lui faisait une révérence impeccable ne portait scandaleusement pas de culotte.

Hélas, après cet acte chevaleresque, Jean-Louis passa la soirée à sortir celle-ci de sa poche et à demander à ses copains, en se tordant de rire :

– Devinez à qui appartient cette chose incroyable!

Oui. Avec Jean-Louis, vous ne vous ennuierez pas. Mais vous soupçonnez que votre vie risque d'être plus cahotique.

Bertrand ou Jean-Louis? Jean-Louis ou Bertrand?

Vous êtes tentée de lancer une pièce en l'air et de laisser le hasard décider. Non. Vous êtes trop volontariste.

Bertrand. Le choix le plus sage.

Vous lui téléphonez immédiatement que vous seriez heureuse de dîner avec lui, dès le lendemain. Il est un peu surpris de votre précipitation mais ravi. Rendez-vous chez Scossa. (Il a de quoi payer une addition chez Scossa.)

Dès le poireau en salade, vous lui expliquez calmement votre affaire. Vous êtes prête à accéder à ses demandes répétées en mariage. Il reste saisi. Dans sa tête, la scène devait se dérouler autrement. Lui, à vos pieds, suppliant : « Sois à moi ! » Vous, les mains sur les yeux, à moitié évanouie sur un canapé Napoléon III, suffoquant : « Oui ! Oui ! Oui ! Mais demande d'abord à mes parents...! »

Votre manque de poésie le déçoit visiblement un peu. De la vinaigrette coule sur son menton. Vous l'essuyez, attendrie. Qu'il est mignon, votre futur époux !

Malheureusement, vous êtes une fille honnête. Vous avouez votre faute calabraise. Il vous écoute, la bouche de plus en plus ouverte (tiens, il a l'air idiot !).

— Mais alors... tu n'es plus vierge ? balbutie-t-il, incrédule.

C'est à votre tour de marmonner piteusement :

— Ben, non...

— Et tu t'es fait avorter à Genève ?

— Ben oui..., bredouillez-vous de plus en plus misérable.

Il n'en croit pas ses oreilles. Vous avez tellement l'air d'une jeune fille comme-il-faut.

— Et tu peux encore avoir des enfants ?

— Le docteur m'a assuré que oui.

Vous vous sentez humiliée, honteuse, furieuse. Vous aviez sous-estimé le conformisme de ce crétin. Vous vous levez.

— On laisse tomber cette histoire de mariage ! Au revoir.

Il vous retient par la manche.

— Non ! Non ! Pardon !... juste la surprise. Mais je te comprends. Ce sera notre secret. Simplement, il ne faut pas que mes parents l'apprennent...

Surtout sa terrible mère qui, vous le pressentez, ne verrait pas d'un bon œil le mariage de son bel héritier avec une jeune créature, certes de bonne famille, mais sans un sou et même plus vierge.

– Nous serons merveilleusement heureux, rêve tout haut Bertrand. Trois enfants? Parfait. Naturellement, tu vas arrêter de travailler...

– Jamais!

Le cri est sorti malgré vous. Du fond de vos tripes. Vous êtes incapable d'analyser votre réaction. Mais vous savez que c'est comme ça. Vous adorez votre travail. Vous tenez farouchement à votre petite indépendance financière.

Bertrand s'entête. La femme du futur vicomte de Z., milliardaire de surcroît, ne peut partager quotidiennement le sort des médiocres classes laborieuses. Ridicule! Ses parents ne l'admettront jamais. Surtout, ajoute-t-il, furieux de votre front buté, que vous n'avez, après tout, qu'un petit job minable...

Vous vous levez à nouveau, cette fois définitivement folle de rage.

– Adieu, pauvre con! criez-vous, je n'ai peut-être, en effet, qu'un petit job minable mais je ne suis pas, moi, un fils à papa qui a du mou de veau entre les deux oreilles!...

Vous faites une très belle sortie du restaurant (du moins, vous l'espérez), laissant votre ex-prétendant ébahi de votre grossièreté et de vos insultes. Il l'a échappé belle!

Vous le reverrez quelques années plus tard lorsque vous serez vous-même mariée (à un autre) et mère de famille. Il vous a chuchoté au téléphone qu'il devait vous parler d'urgence en tête à tête.

Sa somptueuse Mercedes vous attend dans l'ombre de la rue derrière chez vous. Il fume au volant, l'air grave. Vous vous asseyez à côté de lui, en silence.

Soudain, il sort de sa poche une alliance.

– Je me suis marié hier discrètement avec une hôtesse de l'air. Mes parents ne décolèrent pas. Mais elle attendait un enfant de moi.

– Tu es un type bien ! répondez-vous en pensant au salaud de Calabrais.

– Elle est charmante, reprend-il, à voix basse, mais je ne l'aime pas. J'ai toujours regretté de ne pas t'avoir épousée. J'étais un jeune con à l'époque, tu avais raison. Pour moi, c'est toi, ma femme. Je ne porterai jamais cette alliance. C'est ce que je voulais te dire.

Il a l'air sincère. Votre cœur de midinette fond.

– Oublie cette vieille histoire et sois heureux, mon chéri.

Vous l'embrassez sur la joue et vous sortez de la voiture. Quand même un peu émue et flattée d'avoir suscité une passion digne de Tristan et d'Iseut. Vous le serez moins quand vous apprendrez, encore un peu plus tard, qu'il est devenu un grand cavaleur devant l'Éternel et que sa terrible mère – haïssant sa bru, comme prévu – lui avait offert une garçonnière sur les quais de la Seine où défilaient les plus beaux mannequins de Paris.

Après votre échec avec Bertrand, vous déjeunez avec Jean-Louis. Chez Capoulade, cette fois. Votre prétendant numéro 2 ne peut vous offrir qu'un croque-monsieur. Il se montre immédiatement enthousiaste. Et tendre. Votre histoire calabraise l'émeut. Et l'étonne à son tour.

– Toi alors !... qui a l'air si convenable !

– Si quelqu'un me dit une fois de plus que j'ai l'air convenable, je l'étrangle.

Il vous prend la main.

– Pauvre amour ! Tu as dû en baver.

Cette générosité fraternelle vous bouleverse. Vous ouvrez votre cœur en grand. Non seulement vous êtes une ex-Fille-Mère mais vous n'avez pas un sou et vous êtes décidée à continuer de travailler. Il vous félicite. Mais tes parents?... Ils t'adoreront et seront fiers de toi... Vous révélez que votre mère est... hum... un peu folle... La sœur de mon père l'est complètement! Bref, au dessert, affaire conclue. Fiançailles bourgeoises : il faut quand même tenir compte du conformisme familial. Mariage à la campagne dans la propriété de ses parents. Tu verras, ce sera ravissant. Trois enfants, toujours. Une vie droite mais marrante. Ah! Un petit nuage dans le ciel bleu de votre amour, comme dirait l'autre. Jean-Louis vient de perdre sa situation. Un vague truc « très chiant » chez un agent de change, ami de son père. Mais il va retrouver vite autre chose. Un « job à la con mais rentable ». À moins qu'il ne se lance dans des « coups fumants ». (L'expérience vous apprendra trop tard que les jobs « à la con mais rentables » n'existent pas. Quant aux « coups fumants », vous ne saurez jamais ce que c'est.)

Fiancés.

À votre grande surprise, votre mère, entre deux cliniques de « santé », se déclare hostile à ce mariage.

— Qui c'est, ce garçon? A-t-on de bons renseignements sur lui? Nous ne connaissons pas sa famille! Pire, elle ne figure même pas dans le Bottin Mondain.

Vous haussez les épaules. Mais ravie de jouer un rôle de matrone romaine, elle fait faire une enquête. Vous ne saurez jamais par qui. Un détective privé? Cela ne-se-fait-pas dans la Famille. Un curé? Probablement. Le réseau des curés travaille intensément sur ce genre de problème. Ou la mafia des cuisinières bretonnes (remplacée depuis par celle des femmes de ménage portugaises).

La réponse revient. Père banquier. Ça, vous saviez. Mère de la haute bourgeoisie du Nord. Bref, famille fort honorable et riche. Parfait! Parfait! Mais, hélas, le héros, l'unique héritier, est considéré comme un mauvais sujet, paresseux, insolent, dépensier, excentrique, etc.

En conséquence, votre mère, dans une de ses scènes dramatiques qu'elle adore, s'oppose au mariage.

Si vous aviez jamais hésité à épouser Jean-Louis, maintenant vous traverseriez la place de Notre-Dame, pieds nus dans la braise, pour le faire.

Votre génitrice cède. Devant la menace de ne pas être invitée à la cérémonie. Un scandale qu'elle n'ose même pas envisager. Mais sait-on jamais avec une tête de pioche comme vous? Et puis elle a un autre problème plus urgent.

Comment rédiger l'annonce dans le Carnet Mondain du *Figaro*?

Parce que votre chère maman, qui portait, jeune fille, l'un des plus illustres noms de la noblesse française, s'appelle désormais Mme Olivapoulos dont le nom va sonner mal, très mal, dans ces pages prestigieuses, d'autant plus que la deuxième femme de votre père, colonel et baron, veut y figurer elle aussi. À quel titre, hein?

Bagarre familiale.

Les parents de votre futur époux ne sont pas en reste de mesquinerie mondaine. Ils refusent poliment mais fermement la présence de ces « pièces rapportées » au mariage de leur fils. Le divorce de vos parents à vous, une tache sur leur honorabilité sociale, doit être escamoté le plus possible.

Jean-Louis va plaider la cause de vos ascendants.

Votre père et votre mère ne sont pas divorcés. Ou plutôt, ils ne le sont PLUS. Leur mariage a été, en effet, annulé au Vatican après trois jugements du Tribunal de la Rote – qui ont coûté des années de supplications et d'argent : on a dû vendre des fermes... – Ils se sont donc remariés religieusement, chacun de leur côté. (Quant à vous, née d'un mariage qui n'a pas existé, vous ne savez trop ce que vous êtes. Un ange dans les limbes?)

Vos futurs beaux-parents vont consulter l'évêque. Qui en réfère à Rome. Les cardinaux réfléchissent. La réponse revient. Ne laisser paraître à la cérémonie que le géniteur et la génitrice de la jeune fille. La deuxième épouse de votre père et le troisième mari de votre mère s'inclinent rageusement. Mais vous croirez apercevoir dans la foule des invités la silhouette replète de M. Olivapoulos. Le brave homme n'a pu résister à l'envie d'assister en cachette à la fête.

Quant au *Figaro*, Jean-Louis et vous décidez de régler le problème par un *blietzkrieg*. Vous faites passer l'annonce de votre union sous vos deux seuls noms. Les relations des familles flairent avec délices le scandale sous roche.

En fin de compte, un grand mariage, cela vous amuse beaucoup. Vous jouez le jeu à fond. Virginale robe de mariée en broderie anglaise (payée sur vos économies à la Caisse d'Épargne), couronne de fleurs d'oranger (que vous ne méritez plus, mais bon!) immense voile de tulle, haie de petites filles et de petits garçons d'honneur, énorme diamant en guise de bague de fiançailles. Vous découvrirez par la suite – quand vous le porterez en catastrophe au Mont-de-Piété – qu'il ne vaut rien : il recèle dans son flanc un gros « crapaud »! Pour l'instant, il jette mille feux à votre doigt. Vous êtes dans un film de Hollywood où vous jouez la jeune fille de bonne famille épousant le riche héritier. Vous êtes ravie.

Malgré la mine sombre de Papa-Patron.

Car le pauvre homme s'entête dans sa passion malheureuse.

Il voulait bien vous voir, de sa fenêtre d'où il vous surveillait, rire et papillonner à la sortie du bureau, avec de petits jeunes gens qui vous attendaient sur le trottoir d'en face.

Mais que vous vous mariiez, cela, non, il ne l'accepte pas.

Il tente même à plusieurs reprises de vous détourner de ce projet.

– Vous n'avez plus la tête à votre travail, gronde-t-il, alors que j'envisageais pour vous une grande carrière. Et puis, j'ai pris mes renseignements (comment ça? Lui aussi!!!)... et ce garçon ne vous convient pas.

Vous répondez poliment mais fermement que votre vie privée ne le regarde pas. Il s'abstient désormais de frapper à la porte de votre bureau et promène dans les couloirs une mine douloureuse qui vous exaspère dans votre jeune et joyeux égoïsme.

La veille de la cérémonie, vous partez en voiture avec vos parents, votre toilette complète de mariée, la robe et la capeline de votre mère, le grand uniforme de spahi avec burnous rouge de votre colonel de père, son kilo de décorations, etc.

Le trajet s'effectue dans le plus grand silence. Vos ascendants ne se sont pas vus depuis leur divorce. Votre maman attend majestueusement que son premier mari lui fasse les excuses qu'elle espère depuis des années. Votre papa, muré dans son orgueil, n'ouvre pas la bouche.

Jusqu'au moment où la voiture franchit les grilles de la propriété de vos futurs beaux-parents. Ce n'est pas une simple maison de campagne solognote mais le plus splendide château Louis XIII, flanqué d'un donjon, entouré de douves et d'un parc à la française.

Votre père freine brutalement, le souffle coupé, et envoie votre mère dans le pare-brise. Elle piaille. Ils se retournent tous les deux vers vous, indignés.

– Pourquoi ne nous avais-tu pas prévenus qu'il s'agissait d'un magnifique château?

– Ben, parce que je ne le savais pas, répondez-vous niaisement. Je ne suis jamais venue et Jean-Louis parle toujours de sa maison, sans autre précision.

– Ruinés comme nous sommes, de quoi avons-nous l'air? geint votre mère.

– ... de ce que nous sommes! se rebiffe votre père. D'une très ancienne famille descendante d'Henri IV qui vit sur ses terres depuis cinq siècles!

– ... dans une vieille ferme fortifiée, à moitié écroulée, persifle votre génitrice.

– Cela vaut mieux qu'une demeure, certes très belle, mais qui n'est pas de famille comme celle-ci! crie votre papa.

– On aurait dû faire ce mariage dans la propriété de mon côté, gronde votre maman.

– Je vous rappelle, dit son premier mari, que, depuis la mort de votre père, les toitures s'effondrent bien que votre mère soit l'héritière d'une banque juive.

– Pas juive!!! SUISSE!!! hurle votre mère.

– Arrêtez! braillez-vous à votre tour. Ne gâchez pas mon mariage. Vous reprendrez vos disputes ensuite.

C'est donc avec de mielleux visages radieux que vous descendez de voiture devant le perron où vous attend votre future belle-famille qui pousse à son tour d'hypocrites petits cris accueillants.

En fait, cette union ne les enchante guère non plus.

Vous n'êtes pas un bon parti.

Certes, vous êtes descendante de trois baronnies du Béarn (le coup du grand-père Henri IV n'est pas prouvé), tandis qu'eux ne sont que des bourgeois – de grands bourgeois mais bourgeois néanmoins – et vous avez l'air d'une jeune fille convenable (encore et toujours) alors qu'ils avaient craint un instant que leur mauvais sujet d'héritier n'épouse une pute dont il était tombé amoureux (pour le moment, vous ignorez ce détail). Mais vous n'avez pas un sou et le cœur de banquier de votre futur beau-père saigne. Ce n'est pas votre maigre salaire qui peut remplacer une bonne et solide fortune placée mi en Bourse, mi en immeubles. Pire, vous n'avez aucune « espérance », c'est-à-dire nulle perspective d'héritage. Rien.

De plus, l'honorable financier vous trouve frondeuse.

Un petit drame a éclaté lors de la cérémonie des contrats de mariage, chez le notaire.

Vous avez réclamé un contrat avec séparation de biens, alors que celui préparé par Maître Piedevache envisageait la communauté totale.

– Dans notre famille, a fait remarquer avec solennité le père de votre futur époux, tous les contrats de mariage prévoient la communauté totale.

– Et c'est votre intérêt, mon enfant, susurre onctueusement Maître Piedevache, vous n'avez pas... enfin, vous n'avez guère de biens... même pas de dot... alors que votre fiancé en a une!

Exact. Le monde à l'envers. Jean-Louis reçoit de ses parents une somme importante alors que vous vous contentez d'apporter, pour tout potage, une paire de draps brodés, une bergère branlante Louis XVI – soi-disant signée – et une affreuse broche en or de votre grand-mère représentant une rose avec une petite émeraude en guise de cœur et de minuscules diamants figurant des gouttes de rosée.

– Justement! répliquez-vous avec ce qui vous semble une certaine fierté digne de vos ancêtres, je ne veux pas avoir l'air d'épouser Jean-Louis pour sa fortune.

– Personne ne pense cela de vous! assure votre beau-père, faux cul.

– Ces histoires de fric, ça fout toujours la merde! ricane Jean-Louis qui s'en désintéresse dans un coin.

– Et puis, il paraît qu'en cas de communauté de

biens, je suis obligée de demander son accord à mon mari pour ouvrir un simple compte en banque. Or, depuis des années, j'ai pris l'habitude de mon indépendance financière.

– Allons! ce n'est pas bien grave! bêle Maître Piedevache.

– Et puis, je te le donne, mon accord, va! rigole Jean-Louis.

Ces malheureux ne connaissent pas votre entêtement de bourrique béarnaise.

– ... la séparation de biens ou je ne signe pas!

Votre futur beau-père fait signe au notaire que c'est d'accord. Mais ses yeux vous foudroient. De ce jour, il vous détestera.

D'autant plus que vous lui ferez un autre affront, public celui-là, le jour du mariage. À la mairie. Quand le maire, tout rouge et ému de marier le fils du Château en présence du préfet, du député, de deux anciens ministres et de mille invités, vous demandera votre profession, vous claironnerez d'une voix aiguë et enthousiaste :

– SOUS-CHEF de SERVICE!

Jean-Louis, à votre côté, aura du mal à retenir un fou rire et vous entendrez derrière vous, dans les rangs des familles, des toussotements gênés devant cette déclaration si peu glorieuse.

(Vous fouillez dans la malle noire! Ça y est! Vous le retrouvez, l'album de photos de votre premier et grand mariage.)

... Dieu, que vous avez l'air tarte! Des cheveux frisottés (Jean-Louis vous a fait couper vos nattes), un rouge à lèvres qui ne vous va pas, la couronne de fleurs d'oranger de guinguois sur votre tête. Accrochée au bras de Jean-Louis qui a l'air d'avoir quinze ans, vous souriez niaisement.

Et pourtant, vous êtes torturée.

Un de vos oncles dominicains a célébré la messe et la bénédiction nuptiale. Après une sourde bataille entre votre mère et votre future belle-mère qui avait, elle aussi, son propre dominicain à caser. (Chaque tribu se devait alors de posséder en son sein son propre représentant de l'Église qui présidait d'autorité à toutes les cérémonies religieuses familiales.)

Or, vous n'avez pas osé lui révéler, lors de la confession la veille, votre avortement que vous vous obstinez à ne pas regretter. Vous avez eu trop peur qu'il vous refuse le sacrement du mariage, créant un scandale dont vos familles paternelle et maternelle ne se seraient pas relevées jusqu'à la dixième génération. C'est donc en état de péché mortel que vous avez prononcé le oui fatal. Vous vous demandez avec terreur si votre union est valable. Devant l'Église, sûrement pas. Devant Dieu, oui, peut-être. Il vous a pardonné, Lui, vous le croyez de toutes vos forces.

Au milieu d'une foule inouïe (le parc est couvert de centaines de petites tables ravissantes, prêtes pour un lunch princier), vous assistez, assez abrutie, à votre propre mariage. Vous ne connaissez personne sinon les quelques membres de votre famille engloutis dans la marée humaine. Seule surnage votre tante Hildegarde dont l'immense chapeau à voilette semble être partout à la fois, à l'exaspération de votre mère à la capeline plus modeste.

Vous manque votre grand-mère adorée, trop impotente pour être déplacée. Et votre cher grand-père dont le souvenir vous serre le cœur. Depuis qu'une nuit, vous vous êtes réveillée terrifiée dans votre petit lit d'enfant : « Si je devais choisir entre la mort de

Grand-Mère et celle de Grand-Père... laquelle?...
Vous aviez hésité longuement dans votre cauchemar
puis décidé : « Celle de Grand-Père... parce que
Grand-Mère pourrait, elle, continuer à me garder. »

Le lendemain, votre grand-père s'effondrait, vic-
time d'une crise cardiaque dans son fauteuil, en
buvant sa tasse de camomille, après le déjeuner.

Depuis ce jour, vous vous êtes sentie formidablement coupable. C'est vous qui l'avez désigné du doigt
à la Grande Faucheuse. Vous n'avez pas supporté
non plus quand on vous a obligée à embrasser son
visage froid. Pas tant le contact de la peau que ses
moustaches gauloises pendant tristement alors qu'il
les retroussait fièrement au petit fer, tous les matins,
sous vos yeux admiratifs.

Le pauvre homme, si charmant et si mondain,
aurait adoré votre grand mariage.

Bien avant la fin du lunch, vous vous éclipsez avec
votre jeune époux pour le traditionnel voyage de
noces.

Dans une Jaguar sport... achetée avec la dot de
Jean-Louis.

Celui-ci vous avait mis le marché en main. Ou placer le fric à la Caisse d'Épargne, comme deux petits
vieux. Ou le claquer dans une somptueuse lune de
miel qui resterait le meilleur souvenir de votre vie.
Vous avez compris que si vous ne choisissiez pas la
deuxième solution, l'estime de Jean-Louis pour vous
baisserait dangereusement. D'autant plus qu'il a déjà
acheté en douce la belle Anglaise qu'il désirait
comme un fou.

Vous traversez la France et l'Espagne à 200 à
l'heure et vous passez des jours de rêve au luxueux
hôtel Formentor à Majorque.

Vous avez quand même, dans un dernier sursaut

de méfiance paysanne, fait garder à Jean-Louis quelques billets pour payer le voyage de retour. Hélas, il oublie son portefeuille sur le capot de la voiture. L'argent s'envole au vent. Vous réussissez à revenir néanmoins à Paris, en vous nourrissant de cerises volées dans les vergers et en vendant vos montres pour payer l'essence. Vous êtes de plus en plus enthousiasmée par cette vie pleine d'imprévus.

La nouvelle vous attend au bureau.
Vous êtes virée.
Papa-Patron n'a pas supporté vos épousailles somptueuses. Il a supprimé froidement votre service. Vous n'avez plus de situation. Jean-Louis non plus.

Tout cela vous est bien égal. Vous vivez dans un songe de nuit d'été. Vous êtes formidablement heureuse. Vous aimez votre jeune mari.

CHAPITRE VIII

Dans une boîte en argent doublée de velours bleu, un petit bracelet en coton de nouveau-né.

Avec le mariage, vous entrez brutalement dans une nouvelle vie.

Tout d'abord, vous découvrez l'Homme. Vous êtes émerveillée (cela vous passera un peu mais vous ne vous en doutez pas encore). Éblouissement de la sensualité. Douceur de dormir, corps enlacés. Admiration intellectuelle. Complicité du rire. Bonheur d'être deux. Vous ne marchez plus dans la vie, vous dansez.

Votre couple est installé dans un superbe deux pièces/salle de bains, au bout de l'immense appartement de vos beaux-parents, avenue Foch. Vous n'avez pas un sou, Jean-Louis et vous, pour louer la moindre chambrette. Votre beau-père, furieux de la désinvolture avec laquelle son héritier a dépensé sa dot, se refuse à lui acheter le moindre galetas. Vous soupçonnez votre belle-mère d'être enchantée de conserver son fils unique à portée de main. Encore qu'elle soit d'une discrétion remarquable, se contentant de déposer devant votre porte des paniers de fruits et légumes rapportés de la campagne.

Quant au manque de cuisine, vous êtes entraînée. Vous transportez simplement votre chère planche, du bidet de votre ex-salle de bains au bidet de la nou-

velle. Mais comme vous êtes deux maintenant à pico-
rer, vous faites la dépense d'un grand réchaud à gaz
et d'une bouteille de camping. Et basta.

C'est là que le premier drame de votre vie conjugale éclate.

Jean-Louis découvre avec horreur que vous ne
savez absolument pas faire la cuisine. En dehors de
cuire des pommes de terre germées et, les jours de
fête, du riz au lait. Vous avez été nourrie par la cuisinière de votre grand-mère, la pâtée du couvent (et ses
haricots charançonnés) et les couscous et les tajines
de Hammadi le Berbère, pendant vos vacances chez
votre mère et son deuxième mari (un gorille grognon,
officier des Affaires Indigènes dans le bled maro-
cain). Bref, vous n'avez jamais fait griller une entrecôte. Or, Jean-Louis est très pointilleux sur la cuisson
de l'entrecôte.

– Tu ne l'as pas saisie à point ! se plaint-il lorsque
vous lui apportez le résultat de votre tambouille
effectuée toujours à genoux devant le bidet. Il vous
reproche aussi de ne pas savoir choisir l'escalope de
veau et n'hésite pas, un jour, à vous renvoyer rouge
de honte la rapporter au boucher. Et il signe un
accord avec la cuisinière qui l'a vu naître : elle vient
déposer, toujours silencieusement devant votre porte,
des poulets rôtis au miel et des rosbifs tendres comme
du beurre.

Curieusement, cet arrangement ne porte pas
ombrage à votre sourcilleux sentiment d'indépendance. Tant de monde circule dans cet appartement
– vos beaux-parents, un vieux grand-père à barbe
blanche, son infirmière, une tante pauvre, des cousins
de passage, trois domestiques – que vous avez
l'impression d'être à l'hôtel.

Mais un hôtel de luxe. Votre grand salon et votre
chambre sont meublés en Louis XVI d'époque et
ornés de ravissants bibelots anciens. Vous n'avez
apporté avec vous que deux valises de vêtements...

... que Jean-Louis a immédiatement jetés.

– Je n'ai jamais vu quelqu'un habillé avec un tel goût « de chiotte », proclame-t-il (il utilise volontiers un langage argotique appris pendant un service militaire agité).

– Mais je n'ai rien d'autre à me mettre! pleurnichez-vous.

Alors là, Jean-Louis a un geste de grand seigneur.

Il vend sa Jaguar bien-aimée, rachète une petite Austin d'occasion et, avec la différence de prix, vous rhabille des pieds à la tête. Il vous emmène dans les boutiques des grands couturiers, rend folles les vendeuses en vous faisant tout essayer (« il faut trouver ton style »), exige que vous ne portiez que des chaussures à talons aiguilles (adieu, vos patasses marron!) et fouille même dans les magasins de lingerie d'où vous ressortez, un peu désemparée, portant balconnets pigeonnants et porte-jarretelles en dentelle (à la poubelle, vos culottes Petit-Bateau et les combinaisons en coton qui avaient tant attendri le terroriste chypriote).

– Peu de vêtements peut-être, mais toujours de la meilleure qualité, vous enseigne-t-il. Et pour te faire l'œil, va traîner devant les vitrines de la rue de la Paix et du Faubourg Saint-Honoré.

Vous obéissez. Éperdue du désir de lui plaire.

Tellement que vous supportez même gracieusement ses terribles copains.

D'abord, la bande des Fils à Papa. Tous héritiers de grandes familles bourgeoises richissimes, nantis de situations dans l'entreprise paternelle, pourvus de voitures de course (et même de Rolls) et de châteaux achetés par le grand-père, fondateur de la dynastie. Ils jouent au polo avec acharnement à Bagatelle ou à Deauville où vous apprenez à passer vos après-midi du samedi et du dimanche, en compagnie des autres Épouses, avec interdiction d'adresser la parole aux

joueurs argentins considérés comme les pires séduc-
teurs que la terre ait portés. L'un des Fils à Papa,
devenu grand metteur en scène de cinéma, répondra
un jour avec hauteur à un producteur qui lui demandait où il avait trouvé les 500 millions (anciens) de
son premier film : « Mais je les ai toujours eus ! »

Cette vie vous épate. Les Fils à Papa sont charmants, légers, insouciants.

Hélas, l'un d'eux, le préféré de Jean-Louis,
n'apprécie pas l'apparition d'une femme dans la vie
de son copain. Il vient tous les soirs, chez vous, partager sans aucune discrétion votre dîner et reste jusqu'à
l'aube à refaire le monde avec votre mari. Souvent,
vous allez vous coucher – seule – ivre de sommeil... et
vous le retrouvez le lendemain, endormi sur le canapé
du salon. Vous vous en plaignez à Jean-Louis qui
paraît fort surpris :

– C'est mon petit frère, proteste-t-il.

De toute façon, quand le canapé du salon n'est pas
occupé par Vincent, il l'est par Benoît.

Ce dernier n'appartient pas à la bande des Fils à
Papa mais à celle des Futurs Écrivains. Fils d'une
poétesse à la mode, il surgit tard dans la nuit, en
larmes, jurant qu'il va se suicider. Il vous faut alors
vous lever à 2 heures du matin et le réconforter avec
du thé noir et des œufs sur le plat (toujours cuits sur
le bidet). Ses amours sont tumultueuses et il apparaît
souvent avec sa dernière conquête, en pleine scène de
ménage. Sous vos yeux ébahis et ensommeillés, ils
échangent les pires insultes. Parfois des coups. Vous
devez séparer les combattants. Une nuit, une certaine
Geneviève saisit votre paire de ciseaux à ongles qui
traînait par là et entreprit de taillader le visage de
son compagnon. Hurlements. Police-Secours. Toute
la maisonnée réveillée, y compris vos beaux-parents
et le vieux grand-père qui apparut, en chemise de
nuit, brandissant sa canne. À la suite de quoi, Benoît

épousa une Cécile et Geneviève essaya de se suicider en s'ouvrant les veines, toujours avec des ciseaux – mais pas les vôtres, cette fois-ci, Dieu soit loué! Vous devez courir la consoler à l'hôpital où vous retrouvez Benoît à son chevet, une fois de plus en larmes, et résolu à divorcer immédiatement de Cécile pour épouser Geneviève.

Vous assumez cette nouvelle et surprenante existence (ce n'est pas dans votre austère famille jansé-niste que de pareilles folies se produiraient) avec le sourire.

Pour l'instant.

Votre drame : votre nouvelle situation.

Grâce à votre chère Suzanne (encore et toujours votre bonne fée), vous avez été engagée comme représentante en publicité d'un autre magazine fémi-nin : *Modes et Maisons*.

Toute la journée, vous traquez le client, dans ses bureaux, quelquefois même dans sa boutique, pour lui expliquer avec fougue qu'une page de publicité dans votre journal aura un effet mirifique sur ses ventes. Le client se débat. Quoi? Une page couleurs? Beaucoup trop cher! Alors une page noire?... Tou-jours trop cher! Alors, une demi? Et mon prestige!... Alors, une série d'un quart?... Personne ne les verra!... Alors, des messages de dix lignes, soutenus par du rédactionnel?... Mais je m'en fous, moi, du rédactionnel dans votre torchon! Etc.

Vous apprenez à palabrer interminablement comme dans les souks marocains. Mais votre petit orgueil a du mal à s'habituer à être traité avec le mépris le plus total. On vous rudoie, on vous rit au nez, on vous fait attendre des heures – souvent debout – pour vous renvoyer avec arrogance sans dai-gner vous recevoir en fin de compte et en vous priant, d'un air lassé, de retéléphoner un autre jour. Quand? On ne sait pas. Vous rappelez dix-sept fois. La peur au ventre de ne pas obtenir l'ordre convoité. Et votre commission.

En vous, naît la haine de celui qui utilise le pouvoir de son argent pour humilier le plus faible. Vous détestez particulièrement un couple de maroquiniers célèbres qui vous parlent avec une telle grossièreté que vous vous jurez si, un jour vous devenez riche, de ne jamais rien acheter chez eux. Pas même le plus petit foulard. Vous avez tenu parole et continuez à détourner la tête en passant devant leurs luxueuses vitrines. Une fois, cependant, vous vous êtes arrêtée. Avec la tentation folle de TOUT acheter dans la boutique – en vidant votre compte à la Caisse d'Épargne – et de TOUT piétiner dans le caniveau, sous l'œil effaré des vendeuses, des passants et de la télévision alertée par le scandale. (Oui. C'est vrai. Vous êtes rancunière comme une éléphante.)

Mais votre calvaire quotidien n'est pas terminé.

Vous devez revenir le soir au journal, rendre compte au Directeur du Service Publicité, M. Luquet, de votre travail de la journée. Et vous faire morigéner pour votre manque de rendement. Vous baissez la tête, honteuse. Vous êtes une mauvaise représentante.

Après quoi, vous rentrez avenue Foch et traversez le miroir d'un autre monde : celui du luxe, de l'insouciance, de la désinvolture.

Cette double vie vous rend lentement dingue.

D'autant plus que la bande des Fils à Papa considère avec un certain dédain amusé votre statut de Représentante. Vous êtes la seule Épouse qui travaillez. Mais bon, on vous pardonne cette originalité! Jusqu'au moment où vous commencez à vous plaindre de la fatigue et à vouloir rentrer le soir de

bonne heure pour dormir. Et vous lever tôt le lendemain matin à cause de la Pointeuse. Alors, là, on vous
trouve carrément emmerdante. Cela vous complexe
d'autant plus que vous manquez totalement de cette
aisance, de cette élégance, de ce goût subtil qu'une
éducation plus raffinée que la vôtre leur a apportés,
alors que vous avez le caractère rugueux et la gaucherie d'un cadet de Gascogne fauché, aux bottes
crottées.

Vous rêvez de les épater à votre tour.

Vous n'y arriverez jamais.

Jean-Louis, lui, n'a pas trouvé de situation. Du
reste, il n'en cherche pas. Il consacre ses journées à
écrire inlassablement le Goncourt du siècle. Le but
de sa vie. Son rêve de toujours. Sa vocation contra-
riée par ses bourgeois de parents.

Vous êtes si bouleversée par cet aveu, vous croyez
si fort à son génie, vous l'aimez si violemment que
vous lui proposez de travailler pour deux, pendant un
an, afin de lui permettre d'écrire en paix son chef-
d'œuvre.

À une condition.

Qu'il arrête de jouer au casino de Deauville.

Non pas que la petite bande des Fils à Papa soit
composée de flambeurs. Mais il est de bon ton, le
samedi soir, de miser quelques billets à la roulette.

Or vous ne supportez pas l'idée de dépenser, même
10 francs, au jeu.

Depuis qu'à l'âge de douze ans, vous avez perdu
votre bicyclette au poker.

Votre mère et son deuxième mari (Gorille Grognon) étaient des joueurs acharnés de poker, une des
distractions préférées de la vie coloniale. Comme il
leur manquait souvent un partenaire, votre mère

avait entrepris de vous en apprendre les règles pendant les vacances. Vous n'y avez pas vu malice, toute à la joie de jouer « pour de vrai avec des grands ». Vous vous étiez simplement abstenue d'en parler à Mère Saint-Georges. Quelque chose vous soufflait qu'elle n'aurait pas apprécié.

Au commencement, vous avez eu la chance des débutants. Vous avez même gagné de l'argent. Que vous vous êtes empressée de glisser dans votre tire-lire, un gros cochon rose en porcelaine.

Hélas, lors d'une folle soirée, à cause d'un carré de dames face à un carré de rois, vous avez perdu la tête. Et toutes vos économies patiemment amassées pour vous acheter votre rêve le plus fou : un vélo rose.

Lorsque vous avez réalisé le désastre, les larmes vous sont montées aux yeux. Mais votre mère s'est montrée impitoyable. Dette de jeu. Dette d'honneur.

Adieu, bicyclette tant désirée! Son regret vous poursuit encore. Ainsi qu'une rancune sourde et tenace envers votre génitrice (toujours votre sale nature d'éléphante). Vous avez tort. Cette expérience brûlante vous a rendu service. Vous n'avez plus jamais joué de votre vie. Même au bridge. Au grand dam de votre belle-famille qui pouvait passer des après-midi ensoleillés à la campagne à tenter le grand chelem et qui n'en revenait pas de vous entendre répondre : « Jamais! » avec tant de hargne lorsque votre belle-mère vous proposait de vous apprendre les finesses de cette occupation si distinguée.

Deux bombes éclatent dans votre vie conjugale.

D'abord, vous attendez un enfant. (On notera que votre facilité à tomber enceinte est admirable.) Joie générale dans les familles, comme il sied. Sauf chez votre colonel de père qui a encore conçu une fille (il en aura six, le pauvre!) et redoute inconsciemment

96

que vous mettiez au monde le garçon qu'il souhaite tant.

Jean-Louis est fou de bonheur.

– On va avoir un petit bébé! chantonne-t-il, du matin au soir...

... jusqu'au jour, où, rentrant d'un long bavardage au bistrot avec son copain Vincent, il manque de se faire tuer par une tigresse déchaînée dans son salon.

La tigresse déchaînée, c'est vous.

Sans penser à mal, vous avez parcouru les cahiers où il griffonne son chef-d'œuvre. Et découvert qu'il s'agissait purement et simplement du récit enflammé de ses amours passées avec Lili-la-Pute. Certaines pages sont même ornées de cœurs dessinés comme par un écolier, avec son nom dedans : « Ma Lili »! Des phrases telles que : « Lili, tu seras toujours le grand amour de ma vie... » vous font trembler de colère. Vous devenez un Etna de jalousie en éruption.

Jalousie. Votre défaut le plus flamboyant. Vous êtes encore capable, à cinquante-neuf ans, de faire une scène terrible à l'Homme de votre vie s'il ose sourire d'un air complice à une femelle de soixante-cinq, boiteuse, bossue et borgne. Jalousie! Vous n'avez jamais pu maîtriser cette violence folle qui se met à bouillonner en vous et que vous attribuez à la fâcheuse influence du sang de votre grand-mère, basque espagnole. (Dont la tradition familiale murmure qu'elle abattit une maîtresse de son mari – votre grand-père paternel – au cours d'une partie de chasse, avec un fusil Purdham.)

Pour l'instant, vous n'avez pas de fusil Purdham à la main, mais un vase Ming qui va se fracasser sur le front de Jean-Louis. Qui tombe raide sur la moquette. Et, sans vous soucier de savoir s'il est mort ou vivant, vous lui piétinez l'estomac en poussant des cris rauques et en déchirant en confettis les fameux cahiers.

Quand votre époux reprend ses esprits, il est terrorisé.

Et, pantelant, vous jure, tandis que vous l'emmenez à l'hôpital soigner son arcade sourcilière ouverte et ses deux côtes cassées, d'arrêter immédiatement d'évoquer ses souvenirs avec Lili-la-Pute.

Et de se mettre à chercher du travail.

Du reste, vous ne pouvez assumer de bosser pour trois.

Pour Lili-la-Pute, il tient parole.

Pour le job, c'est plus dur. La bande des Fils à Papa se réunit en conclave. L'un d'eux, Laurent, lui suggère de devenir flic (son père – celui de Laurent – est un ami intime du Préfet de Police et se fera un plaisir de pistonner votre mari). Cette perspective séduit Jean-Louis. Lecteur assidu des polars américains de la Série noire, il se voit très bien en imper crado, un feutre vissé sur la tête, buvant un whisky sec avec une belle blonde dans un bar louche. Douée d'un naturel plus pessimiste, vous craignez que – malgré le piston du Préfet de Police – il ne lui faille commencer par être agent de la circulation aux carrefours. Il abandonne sur-le-champ une carrière aussi peu reluisante.

Il a une idée géniale (« un coup fumant »).

Élever des truites dans les douves du château paternel.

Devenir pisciculteur l'enthousiasme. Tu mets des milliers d'alevins qui ne coûtent presque rien à la Samaritaine (votre diamant au clou). Tu les nourris tous les jours vaguement avec une poudre spéciale qui ne coûte toujours presque rien (l'affreuse broche en or de votre grand-mère, également au clou). Les truites grandissent joyeusement toutes seules. Au bout d'un an, tu vides les douves. Tu vends les truites. Et tu es riche.

Le tableau vous emballe à votre tour.

Mais pas votre beau-père.

– Je ne commercialiserai jamais la propriété de famille! répond-il sèchement à son fils.

Vous êtes indignée. « Propriété de famille », mon cul! Il l'a achetée avec son sale argent de banquier à des aristocrates fauchés comme vous. La vérité, c'est qu'il ne vous a jamais pardonné la dot envolée. À rancunier, rancunière et demie. De ce jour, vous lui ferez la gueule avec votre bel entêtement de bourrique béarnaise.

Heureusement, Laurent trouve pour Jean-Louis une place d'archiviste dans un des journaux du groupe de presse de son père.

Vous en tirez deux leçons. La première, c'est que, pour trouver du travail, la meilleure façon, c'est d'avoir des relations. (Cette leçon ne vous servira à rien. Vous n'aurez jamais, malgré vos efforts, de relations intéressantes.) La deuxième, c'est qu'il existe des personnalités tellement débrouillardes qu'elles peuvent se permettre d'arriver à 11 heures du matin à leur bureau sans que personne n'y trouve à redire. C'est le cas de Jean-Louis. (Cette leçon ne vous servira non plus à rien. Vous avez, on l'a vu, une nature inquiète et besogneuse qui vous pousse à pointer dès l'aube.)

Tout semble arrangé.

Sauf pour vous.

Votre grossesse se passe mal. Vous avez perpétuellement mal au cœur. Vous vous traînez, de plus en plus fatiguée. Vous devenez hargneuse. Une Épouse se fait un plaisir de vous révéler qu'on vous surnomme désormais définitivement l'Emmerdeuse.

Vous n'arrivez plus à supporter votre double vie. Le jour, un travail que vous détestez. La nuit, des copains insouciants qui vous exaspèrent. Une fois, profitant d'une absence de quelques minutes de Jean-Louis, vous suppliez Vincent, au nom de votre fatigue de future mère, de ne pas venir tous les soirs troubler votre paisible intimité conjugale.

– Mais bien sûr, mon petit chou! répond-il.

Vous êtes soulagée.

Le lendemain, il est là, un sourire pervers aux lèvres.

Vous comprenez qu'il a sournoisement en horreur les femmes et vous en particulier.

Vous vous mettez à votre tour à le détester du fond de votre cœur.

Bien que vous passiez vos vacances dans la fabuleuse maison de ses parents, sur la Côte d'Azur. Une immense villa bâtie directement sur la mer. Avec patio pour le déjeuner où un buffet froid délicieux surveillé par un maître d'hôtel en gants blancs, attend de midi à 3 heures les lève-tard et les sportifs. Un deuxième patio pour les grands dîners aux bougies, en robe longue. Une magnifique piscine. Un splendide voilier que vous adorez barrer. Des vedettes à moteur pour aller boire un verre, le soir, à Saint-Tropez. Une nuée de domestiques qui s'agitent sous la direction d'une Intendante. Cela vous semble le comble du luxe : une Intendante pour s'occuper de tous les détails embêtants d'une maison et des disputes entre le Chef et les femmes de chambre, quelle classe!

Une foule d'invités : le Tout-Paris des écrivains célèbres, des grands avocats, des patrons de presse, des producteurs de cinéma, etc. Qui parlent sans fin, boivent sec, rient, se disputent, couchent ensemble, sous l'œil ravi de la très belle maîtresse de maison.

Mais petit à petit, vous vous apercevez que ce décor de rêve est un trompe-l'œil.

Les fresques des chambres s'écaillent. La plomberie des salles de bains ne marche pas et les invités doivent régler directement le plombier qui, sinon, ne se dérange pas : « ...tellement ON lui doit une grosse

100

facture ! ». L'Intendante surgit parfois vous « emprunter » de l'argent – qu'elle ne vous rend jamais – pour faire le marché. Sinon, pas de déjeuner avec ses exquises petites courgettes farcies et son rosé bien frais. Quant aux domestiques, ils sont payés par les pourboires que les invités laissent en partant – et dont le montant est fixé par l'Intendante.

Vous passez le plus clair de votre temps, allongée seule au bord de la piscine, à parler à votre bébé qui grandit en vous. Vous remarquez à peine les grosses dames entièrement nues qui se font masser à côté de vous par de petits jeunes gens qu'elles appellent « chéris ». Ni le maître de maison muet sur sa chaise longue, coiffé d'un panama, qui ne parle lui non plus à personne et se contente de regarder l'horizon tandis que sa femme sourit à son amant.

C'est fou ce que passe lentement le dernier mois d'une grossesse.

Arrive la grande épreuve : un accouchement de pauvre.

Votre statut de salariée depuis des années vous donne droit à la Sécurité sociale. Et la Sécurité sociale à un accouchement gratuit dans une clinique conventionnée, située dans une lointaine impasse, sombre et triste. Vous avez consulté régulièrement un gynécologue pressé qui vous a assuré que tout allait bien se passer, encore que vous ayez pris trop de poids – vous avez l'air d'une tour – et que vous risquiez une embolie, ajoute-t-il flegmatiquement, sans vous donner la moindre prescription, sinon de manger des pommes.

Vous n'osez demander à personne aucun détail. Comme pour le Sexe, vous ne savez rien. Votre mère est repartie dans une clinique de repos suisse très chère (une ferme de plus, vendue) et ne vous a rien appris sinon qu'elle avait vécu un calvaire à votre propre naissance – douze heures de martyre inhumain – et s'était juré de n'avoir jamais un deuxième enfant. Ce résumé lapidaire ne vous a guère encouragée. Quant à votre belle-mère, elle est beaucoup trop distante pour que vous puissiez vous confier à elle.

Des douleurs inconnues, qui vous arrachent des cris, vous amènent néanmoins à partir une nuit, à tout hasard, pour la Maternité avec votre jeune mari – aussi inexpérimenté et terrifié que vous. À votre arrivée, vous vous faites insulter par une sage-femme à la tête recouverte d'un châle en tricot noir, comme une veuve corse. Vous avez huit jours d'avance sur la date prévue et vous n'êtes pas inscrite au planning. Il y a un monde fou (ah! cette manie des bonnes femmes d'accoucher toutes en même temps!) et pas de place pour vous. Comme vous en êtes cependant « à dilatation à deux francs » (vous ignorez totalement ce que ce jargon signifie, trop occupée à guetter les terribles contractions) on vous roule un lit dans le couloir. On vous y abandonne, les jambes écartées, au milieu de la foule qui passe et vous regarde avec intérêt. Vous restez même persuadée d'avoir vu un plombier, muni de sa sacoche, penché amicalement sur votre sexe entrouvert. Vous perdez, ce jour-là, la belle pudeur acquise au couvent.

Quand vos hurlements commencent à déranger vraiment tout le quartier, la sage-femme vient vous chercher en grommelant et vous installe dans une pièce crasseuse. C'est le moment. Mais où est le gynécologue? « Il dort, répond la vieille sorcière, et je ne vais pas le déranger pour un accouchement tout simple... »

De même, elle refusera d'appeler le chirurgien pour vous recoudre. Jusqu'au moment où Jean-Louis, fou d'inquiétude et de rage, commencera à l'étrangler. Elle avait raison. Le chirurgien vous recoudra de travers.

Victoire quand même! Est née une petite fille.

Une petite fille à vous! Comme vous!

Pauline, votre amour.

Jean-Louis est radieux. Malgré son épuisement, commun à tous les pères à l'accouchement difficile.

Vos beaux-parents, enchantés – bien que ce ne soit pas un garçon –, vous offrent un deuxième diamant (tout petit, celui-là, mais sans crapaud et qui plaira plus chez Ma Tante) et une layette de la Châtelaine. Vous auriez préféré une layette de Prisunic et l'argent du diamant pour mettre au monde votre fille dans un endroit plus propre, plus gai, avec un gynécologue plus rassurant. Vous faites le serment de n'avoir un deuxième enfant que lorsque vous gagnerez assez de sous pour vous payer un accouchement de riche.

Vous rentrez chez vous, épuisée, votre bébé dans les bras, que vous posez dans son berceau derrière un paravent chinois qui coupe le salon en deux.

Mariette vous attend.

Maintenant que Jean-Louis et vous travaillez tous les deux, il vous faut quelqu'un pour s'occuper de Pauline. Votre belle-mère, toujours adorable malgré son air froid, vous a prêté une de ses nombreuses chambres du sixième pour y installer une petite bonne bretonne, importée rose et fraîche de Quimper.

Cette dernière n'a mis qu'une condition à son entrée chez vous. Avoir une table de cuisine. Elle veut bien tambouiller dans votre salle de bains mais pas à genoux devant le bidet. Elle réclamera ensuite un placard à provisions. Puis installera sel, poivre, huile, vinaigre, sur la tablette de vos flacons de parfum et de vos produits de beauté qu'elle repoussera inlassablement, avec une féroce ténacité bretonne.

Avant, vous faisiez votre cuisine dans votre salle de bains. Désormais, vous prenez vos bains dans la cuisine, à l'heure consentie par Mariette.

Mais vous est tombé sur la tête un problème autrement plus grave.

Vous avez découvert les lettres de Muriel.

CHAPITRE IX

Un deuxième livret de famille.

Inouï comme les hommes laissent traîner les papiers qu'ils devraient cacher ou les dissimulent mal. Recherchent-ils inconsciemment les ennuis?

Jean-Louis comme les autres.

En vraie petite épouse, vous vous êtes mise à fouiller dans ses affaires. Comme ça. Pour voir. D'accord, ce n'est pas très élégant. Mais que la femme qui n'a jamais exploré les poches du costume de son mari avant de le ranger dans l'armoire, ni consulté avidement les pages de son agenda tandis qu'il prend son bain, vous jette la première casserole à la tête.

Votre vilaine curiosité est immédiatement récompensée.

Vous trouvez dans le tiroir secret de la commode Louis XVI (le premier endroit où vous allez regarder) une dizaine de lettres adressées à « mon grand fou de Jean-Louis adoré » (hein?) de « sa petite doudou de Muriel chérie » (quel texte minable, pauvre conne!). Aucun doute sur la liaison de votre mari avec une belle salope, débile par-dessus le marché. En plus, comme pour Lili-la-Pute, votre époux a parsemé son agenda de cœurs avec des M dessinés dedans (un vrai maniaque).

105

Vous mourez. De chagrin.

Vous ressuscitez. De rage.

Mais le choc est si violent (vous n'aviez rien deviné, pauvre sotte) que votre jalousie espagnole, au lieu d'exploser en lave brûlante détruisant tout alentour, se pétrifie en un bloc de fureur noire dans votre estomac.

Et vous rend muette.

Le matin, votre fantôme part travailler comme représentante en publicité. Il se couche, raide, le soir, les yeux au plafond, tandis que votre esprit imagine inlassablement comme un écureuil en cage l'Homme que vous aimez dans les bras d'une autre. Est-ce qu'il l'embrasse comme il vous embrasse? Lui mordille-t-il aussi l'oreille en prononçant des paroles folles? Sa main est-elle aussi douce sur sa peau à elle que sur la vôtre?

C'est un mannequin de cire désespéré qui sort avec la bande des Fils à Papa. Votre étrange mutisme, vos yeux sans lumière, votre teint livide, les impressionnent. « Elle ne s'est pas remise de la naissance de son bébé... » « Elle a encore le blues de l'accouchement... » chuchotent les Épouses.

Même Pauline, dite Petite Mère, ne vous arrache pas un sourire.

Jean-Louis commence à s'inquiéter. Mais, connaissant votre jalousie espagnole, ne se doute pas que vous avez découvert ce qu'il dissimule avec tant d'aisance.

— Tu es malade? finit-il par demander.

— Non.

— Pourquoi tu ne parles plus?

— Parce que je n'ai rien à dire. Si! Tu as du rouge à lèvres sur le col de ta chemise.

Il paraît gêné (ah, quand même!).

– Oh, ça? Juste cette idiote de femme de Laurent, tout à l'heure, quand on dansait chez Nicolas.

MENTEUR. MENTEUR. MENTEUR. MENTEUR.

Un matin, vous n'avez même plus la force de vous lever. Verdict du médecin : dépression. Traitement indiqué : une cure de sommeil. Vous refusez. L'ombre de votre mère vous hante. Vous n'allez pas, à votre tour, passer votre vie dans des cliniques « de repos ». Que diraient les Épouses? « C'est normal qu'elle soit folle avec la mère qu'elle a!... » Le psy vous bourre de petites pilules bleues et votre fantôme se remet à flotter tant bien que mal.

Vous n'avez toujours rien dit à personne.

Arrive le soir d'un grand cocktail chez les D., un des événements de la saison parisienne. Un monde fou. Enfin, celui qu'il faut. Curieusement, Jean-Louis a insisté pour que vous l'accompagniez alors que vous refusez de plus en plus de sortir. Non moins curieusement, vous avez obéi.

Vous vous trouvez face à face avec Vincent, accompagné d'une très belle brune. Il vous regarde d'un air narquois.

– Muriel, présente-t-il, avec gourmandise.

Vous aviez déjà deviné. Un des jeux cruels de cet enfant gâté et pervers. Vous apercevez, du coin de l'œil, un sourire complice s'échanger entre votre mari et la fille.

Vous restez impassible. Bloquée. Consciente d'avoir le teint blême, l'œil triste, le cheveu terne. La salope, elle, irradie de bonheur et de beauté.

Elle vous tend la main...

... et vous apercevez à son poignet un fin bracelet d'argent ciselé que Jean-Louis vous a offert pendant votre lune de miel à Majorque et que vous n'avez pas retrouvé sur la cheminée.

Votre époux a dû le lui donner le dimanche après-midi où vous vous étiez absentée pour promener Petite Mère. Quand vous êtes rentrée chez vous, quelque chose d'indéfinissable avait frémi dans votre cerveau reptilien. ON était venu. Aucune trace pourtant d'un passage haï. Mais toute la pièce vous le criait. ON avait osé venir.

Et votre salaud de mari avait offert à sa putain de maîtresse le bracelet de sa femme.

Ce détail libère votre rage furieuse, ploc! comme un bouchon qui saute. La jalousie espagnole se met à bouillonner dans votre sang. L'Etna va exploser. Attention! Tous aux abris!

— C'est mon bracelet que vous portez là, voleuse! accusez-vous à voix très haute et menaçante.

La fille a peur. Vous devez avoir la tête d'une étrangleuse. Elle arrache le bracelet de son poignet et vous le tend précipitamment.

— C'est Jean-Louis qui me l'a donné... Je ne savais pas qu'il était à vous. Je vous le rends.

Pauvre dégonflée! Même pas capable de nier!

Vous prenez le bracelet et vous le lancez de toutes vos forces à travers la table du buffet où il fracasse plusieurs flûtes à champagne.

— Je n'en veux plus, salope, maintenant que tu l'as porté! hurlez-vous.

Vos braillements et le fracas du verre brisé font retourner tous les coquetèleurs. Un grand silence effaré s'abat sur le salon des D.

Vous tournez les talons et foncez vers la sortie, bousculant les invités au passage. Vous avez juste le temps d'apercevoir les mines consternées de vos beaux-parents. Et les yeux étincelants de joie méchante de Vincent.

Jean-Louis tente de vous poursuivre et de vous retenir par le bras. Vous vous débattez.

— Reste avec ta pute! clamez-vous avant de disparaître au milieu de murmures stupéfaits. Quel scandale!

Vous rentrez chez vous à pied, en sanglotant. Si fort qu'une faiblesse vous fait tomber assise sur un banc. Une charmante vieille dame s'approche de vous et vous demande gentiment si vous avez besoin d'aide. Vous hoquetez:

– Mon mari me trompe!

– Trompez-le à votre tour! conseille avec affabilité la charmante vieille dame. Ça soulage!

Et elle vous quitte, en hochant doucement une tête pleine de bons souvenirs.

Rentrée avenue Foch, vous placez à portée de votre main, dans l'axe de la porte, le deuxième vase Ming.

Jean-Louis a dû le deviner.

Il ne reparaît pas cette nuit-là.

Ni les suivantes.

Vos beaux-parents se terrent comme des lapins affolés à l'autre bout de l'appartement. Les domestiques marchent sur la pointe des pieds. Une atmosphère d'hôpital pour grands blessés règne dans la ruche familiale.

Au bout de huit jours, vous faites vos valises et, Petite Mère sous le bras, escortée par votre fidèle Mariette et ses casseroles, vous retournez chez votre mère.

Qui, absolument enchantée, sort immédiatement de sa maison de santé.

Vous avez bien hésité avant de revenir au foyer maternel que vous avez quitté, il y a des siècles, vous semble-t-il. Mais où aller? Vous ne gagnez pas l'argent qu'il faut pour louer un appartement assez grand pour tout votre petit monde. D'autre part, rien ne distrait plus votre chère maman de sa dépression chronique que les drames. Elle fond sur le vôtre avec une pétulance de jeune fille et elle, qui ne vous avait pas accompagnée à la clinique d'accouchement, vous emmène d'un pied léger chez son avocat.

Vous demandez le divorce.

Surprise. Jean-Louis le refuse.

Vous sortez les lettres de Muriel (précieusement emportées dans votre fuite).

Vos beaux-parents se suspendent au téléphone pour vous supplier de pardonner à leur fils et de rentrer au domicile conjugal. Votre beau-père se déplace même pour avoir une conversation avec votre mère « dans l'intérêt de nos enfants ». Celle-ci joue à la perfection son rôle de lionne défendant sa progéniture blessée. À son tour, d'humilier cet arrogant banquier qui a refusé d'inviter M. Olivapoulos à votre mariage. De toute façon, elle a toujours détesté Jean-Louis et si elle vous épargne intelligemment les je-te-l'avais-bien-dit, elle arbore une mine triomphante. M. Olivapoulos, un peu bousculé dans ses habitudes par l'arrivée de trois personnes chez lui dont un bébé, est ravi de récupérer une épouse aussi joyeuse.

Vous continuez naturellement à travailler et vous découvrez que tout malheur porte en lui un peu de bon. Vous avez perdu votre vilain petit orgueil. Les mesquineries et humiliations des clients vous semblent de peu d'importance à côté du coup que vous venez de prendre. Vous devenez une représentante en publicité douée d'un culot d'acier. On vous jette par la porte. Vous rentrez désormais par la fenêtre. Vous traitez même vos ennemis personnels, les maroquiniers célèbres, de « radins péteux » ! Indignés, ils vous retirent leur clientèle. Cela vous est égal. Vous en retrouvez dix autres.

Vous constatez autre chose.

Vous n'avez plus de copains.

Tous les Fils à Papa ont pris le parti de Jean-Louis. Surtout leurs femmes. Un divorce? Quel mauvais exemple... dangereux pour leur statut d'Épouses! Plus une invitation à déjeuner ou à dîner ne vous parvient. Finies les crevettes's parties à Honfleur, la nuit. Terminés les matches de polo à Bagatelle ou à Deauville. Pas même un coup de fil pour demander de vos nouvelles. Un rideau de fer s'est abaissé silencieusement entre eux et vous.

Jusqu'au jour où Alain vous invite à dîner.

Vous commencez par refuser poliment. Vous ne voulez plus voir un de ces salauds de bonshommes!

Votre mère n'est pas contente.

– Tu ne vas pas rester à te morfondre toute seule, à ton âge!

Si.

Vous allez vous consacrer à Petite Mère et à votre travail. Prendre à cet affreux M. Luquet sa place de Chef de Publicité à *Modes et Maisons*. Engueuler à votre tour la malheureuse représentante de base. Gagner beaucoup d'argent. Fonder votre propre entreprise. Devenir une Helena Rubinstein ou une Coco Chanel. Et piétiner alors sous vos talons aiguilles tous ces fils de chiens de mâles! Pas de quartiers! Votre vengeance sera implacable.

Vous acceptez néanmoins la deuxième invitation d'Alain.

Il vous emmène dîner chez Lasserre. Il est doux, timide, délicat. Il ne profite pas de la situation. Ne vous prend même pas la main. Vous fait juste savoir, en bégayant un peu, qu'il est votre chevalier servant. Que, dans la triste épreuve que vous traversez, vous pouvez vous appuyer sur lui et son épaule amicale. Qu'il vous admire profondément depuis longtemps. Que vous êtes la femme la plus formidable qui soit.

Bref, qu'il vous aime en silence depuis le premier jour.

111

Et qu'il veut vous épouser dès que vous aurez divorcé.

Vous en restez comme deux ronds de flan.

D'aspect fragile, d'une blondeur de jeune garçon, portant de grosses lunettes, parlant rarement, de nature réservée, il avait peu attiré votre attention. Vous savez vaguement qu'il est l'héritier d'une marque de voiture et fiancé à un Grand Cru bordelais.

Ses paroles résonnent en vous comme musique céleste.

Avoir été trompée, humiliée, abandonnée par son mari, rejetée par ses copains, et se retrouver en Belle au Bois Dormant réveillée par un prince amoureux, quelle revanche !

Vous répondez cependant honnêtement, en soupirant et en baissant les cils modestement comme Minnie Mouse, que vous ne croyez plus à l'amour. C'est vrai. Pour l'instant. Là, votre nouveau prétendant se permet de poser sa main sur la vôtre en vous jurant que sa passion à lui est tellement brûlante qu'elle saura réchauffer votre cœur. Pour un timide, il se défend pas mal. Vous tentez de le décourager. Le jugement de séparation a eu lieu. Les avocats de Jean-Louis (les meilleurs de Paris, payés par Papa) se battent comme des chiffonniers pour éviter le divorce. Et ce sera long, très long, a prédit votre propre avocat (payé lui – plus modestement – sur votre livret de Caisse d'Épargne).

— J'attendrai, bégaie Alain.

— Mais non ! Il veut simplement profiter des circonstances pour coucher avec toi, commente rudement votre mère.

Cette femme mariée trois fois, qui a vécu mille aventures, si vous en croyez la rumeur, a une idée

112

fixe : « Si tu fais l'amour avec un homme, il te laisse tomber le lendemain. » Conclusion : se faire épouser d'abord.

Comme d'habitude, vous ne croyez pas un mot de ce qu'elle dit.

Vous avez raison.

Vous devenez la maîtresse d'Alain. Il reste inébranlable dans son projet de mariage avec vous. Il a rompu avec son Grand Cru bordelais. Vous vous attachez à lui, à son charme discret, à sa gaucherie qui vous attendrit, à sa douceur apaisante.

Vous le voyez en cachette et en prenant mille précautions pour ne pas vous faire surprendre en sa compagnie par Jean-Louis. Vous risqueriez de perdre votre divorce et surtout la garde de Petite Mère.

Vous êtes néanmoins reçue – quasi officiellement – par ses parents. Son père – un redoutable P-DG – vous prend en affection mais sa mère en grippe. Vous la comprenez parfaitement. Une jeune femme en train de divorcer et qu'accompagne un parfum de scandale – tout Paris est au courant de votre éclat au cocktail des D. –, toujours sans aucune fortune mais désormais pourvue d'un enfant à élever, n'est pas un cadeau pour une famille bourgeoise. Votre nouvelle future marâtre vous fait comprendre qu'elle préférait le Grand Cru bordelais à une aventurière de votre acabit. Jusqu'au jour où s'étant procuré – vous ne savez comment – la date de votre naissance et un échantillon de votre écriture, elle vous fait horoscoper en douce par le mage qu'elle consulte chaque semaine. Celui-ci lui prédit que vous n'épouserez pas son fils. Du coup, elle consent à vous sourire aimablement, ce qui vous surprend fort sur le moment.

Vous reprenez confiance dans la vie comme une plante assoiffée sur laquelle tombe une pluie bienfaisante.

Malgré Jean-Louis.

Qui a décidé que non seulement vous n'obtiendriez pas votre divorce mais que vous alliez rentrer au foyer conjugal.

Vous êtes Sa Femme.

Il vous aime.

Ah bon! Et Muriel?

Muriel? Une erreur regrettable, un accident de parcours idiot, une folie passagère dont il vous demande humblement pardon.

Il n'y aura jamais d'autre Muriel.

Il le jure sur la tête de sa fille.

Vous pouvez lui faire confiance. Et revenir à la maison.

Vous refusez.

Il fait votre siège au téléphone.

Vous raccrochez.

Il vous écrit.

Vous renvoyez ses lettres.

Il vous attend des heures, assis dans l'escalier de votre mère et vous poursuit dans la rue. Vous menacez d'appeler la police. Il se couche sur le trottoir et vous avertit qu'il va se suicider. Vous haussez les épaules.

Il profite de son droit de visite à sa fille, tous les quinze jours, pour essayer d'entamer la discussion. Vous demandez, par avocats interposés, que ce soit votre belle-mère qui vienne chercher Pauline et la ramène elle-même le soir.

Alors, Jean-Louis vous enlève.

Un soir, à la sortie de votre bureau, il surgit dans votre dos, vous pousse dans l'Austin dont il ferme la porte à clef. Ahurie, vous ne réagissez pas. Il monte à son tour dans la voiture et braque sur vous un revolver. Vous avez un moment de panique. Mais votre œil exercé (par la passion des armes à feu transmise par votre grand-père) remarque immédiatement que ce pauvre idiot a oublié d'enlever le cran d'arrêt de son colt 45. Un peu de sang-froid vous revient.

– Tu ne crois pas que tu en fais un peu trop? demandez-vous, ironiquement.

– Je suis prêt à te flinguer et à me flinguer ensuite si tu ne veux pas m'écouter une bonne fois. Cela me rend hystérique de ne pas pouvoir discuter avec toi.

C'est vrai qu'il a l'air d'un fou. Vous jugez plus prudent d'acquiescer à sa demande.

– D'accord. Parlons.

– Pas ici. Sur les quais.

Comme cela, il pourra jeter votre cadavre dans la Seine, ni vu ni connu!

Il se contente de garer la voiture le long du fleuve et d'entamer un long discours.

Vous ne POUVEZ pas divorcer, vous qui avez tellement souffert de la séparation de vos parents, et infliger la même épreuve à votre propre petite fille.

Vous ne POUVEZ pas divorcer, vous qui êtes restée tellement catholique (vous avez fini par trouver un prêtre-ouvrier qui vous a donné son absolution pour votre Péché calabrais et vous avez repris vos pratiques religieuses). Vous êtes Sa Femme devant Dieu. Là, vous sursautez :

– Mais tu ne crois pas en Dieu.

– Moi, non. Mais toi, si! répond-il, cyniquement.

Vous ne POUVEZ pas divorcer, vous remarier (oui, il est au courant) et donner un beau-père à sa Pauline à lui. Il ne le permettra jamais. (Là, il agite à nouveau son revolver.)

Vous ne POUVEZ pas divorcer, pour un pauvre petit adultère, alors que lui vous a pardonné votre avortement suisse.

Salaud! Enfant de salaud! Vous vous jurez de ne

plus jamais rien révéler de votre passé à un homme sur terre.

Bref, il ne vous reste qu'une solution – votre Devoir l'exige – : rentrer à la maison avec Pauline. Aucun reproche ne vous sera fait.

Et, sans ajouter un mot de plus, Jean-Louis vous ramène chez votre mère.

Sa harangue vous a ébranlée. Ses arguments, tels des vers de pomme, vous grignotent la tête. C'est vrai que vous vous étiez toujours jurée de ne jamais divorcer tant la séparation de vos parents vous avait meurtrie. C'est vrai que vous êtes heureuse d'être revenue dans le giron si rassurant de l'Église catholique, apostolique et romaine. C'est vrai qu'imposer un beau-père à votre petite fille (même le tendre Alain) ravive le souvenir des vacances terribles où Gorille Grognon – votre second beau-père – refusait systématiquement de vous adresser la parole – vous n'avez jamais su pourquoi. C'est vrai qu'à seize ans vous rêviez d'une vie droite et paisible, avec trois enfants et un mari avec qui vieillir, la main dans la main. C'est vrai que vous avez envie d'être fidèle à vous-même.

Le doute commence à vous ronger.

La ronde des beaux-parents repart. Votre belle-mère, que vous aimez bien, pleure à chaudes larmes à chaque fois qu'elle vous ramène Petite Mère. Votre beau-père vous fait dire, par les avocats, que si vous reprenez votre place au sein de sa famille, il vous offrira un splendide appartement, à votre nom et à celui de votre fille.

Et votre propre père – toujours en coup de vent entre deux guerres – prend le parti de son gendre.

– Un coup de canif dans le contrat, cela se pardonne à un homme, que diable! Une femme ne divorce pas pour cela!

– Vous avez bien divorcé, vous-même! remarquez-vous, indignée.

– Moi, c'est ta mère qui me trompait!

– Je ne vous ai trompé, Édouard, que parce que vous aviez commencé le premier avec toutes les femmes de vos sous-lieutenants, crie furieusement votre mère qui écoutait derrière la porte et qui entre, tel le spectre de Lady Macbeth.

– En tout cas, vous rappelle l'auteur de vos jours d'un ton majestueux, notre mariage à nous a été annulé en Cour de Rome et...

– ... ça m'a fait une belle jambe à moi! vous plaignez-vous avec amertume. Voilà une excuse de Pharisien, de Sépulcre Blanchi...!

Le Sépulcre Blanchi se lève dignement.

– On ne parle pas ainsi à son Père. Je ne te reverrai que lorsque tu te seras excusée.

Il sort en claquant la porte.

– Ne l'écoute pas, cette baderne, remarque votre maman. Il devient bigot en prenant de l'âge. Comme ces vieilles femmes du monde qui ont trop fait la fête!

Mais vous avez de la peine. Il a toujours été un père remarquablement absent mais c'est votre père. Vous n'avez personne d'autre à mettre à la place.

Le harcèlement de Jean-Louis commence à vous perturber sérieusement. Des disputes éclatent entre vous et Alain.

– Tu l'aimes encore! accuse-t-il.

– Non! jurez-vous avec lassitude, mais il m'obsède.

Votre divorce est enfin prononcé.

La date de votre mariage avec Alain est fixée, après le « délai de viduité » et malgré la colère de votre future marâtre qui gifle son mage.

Jean-Louis fait demander, par ses Conseils, une rencontre avec Alain pour parler calmement, « entre gentilshommes » du sort de sa fille. En terrain neutre. En présence de son père, de celui d'Alain, et de tous les avocats. Une vraie réunion au sommet où l'on débattra – sans vous – de votre avenir et de celui de Pauline.

À l'heure dite, ces dignes messieurs se réunissent gravement dans le bureau du Bâtonnier. Manque Jean-Louis. Il surgit le dernier...

... et se jette sur Alain qu'il bourre de coups de poing et de coups de pied.

Le Bâtonnier, les Pères, les Avocats se lèvent dans le plus grand tumulte en braillant : « Arrêtez! Arrêtez! »

Les deux garçons se battent férocement.

Jean-Louis, d'un coup de dent, arrache la moitié de l'oreille d'Alain. Le sang jaillit. Les avocats parviennent à séparer les combattants. Votre futur mari tient le bout de son oreille sanguinolente dans sa main. Votre ex-mari l'assure qu'il lui tranchera l'autre s'il persiste à vouloir vous épouser.

– Moi, je te couperai les couilles! hurle le tendre Alain.

Le lendemain soir, la maman de votre doux prince vient vous voir. L'oreille de son garçon chéri a été recousue mais il doit rester vingt-quatre heures à l'hôpital. Vous avez tenu la main de votre héros toute la journée, inquiète et admirative.

Admirative, votre future belle-mère l'est beaucoup moins.

– Vous êtes une petite garce, vous lance-t-elle

impétueusement au visage, sans le moindre préambule courtois, vous vous conduisez comme une femelle des cavernes, vous êtes en train de faire le malheur de mon fils...

Et tout y passe. Votre nature effrontée. Votre indépendance insolente. Votre boulot minable de représentante. Votre éternel manque de fortune (alors que le Grand Cru bordelais avait une si belle dot), le scandale qui s'attache à vos pas. Votre enfant à charge que son Alain devra élever.

Elle vous regarde avec haine :

– Vous êtes une sorcière qui avez jeté un sort à mon fils ! Parce que vous n'êtes même pas belle...!!!

Et elle sort. Se heurtant à votre mère qui écoutait comme d'habitude derrière la porte et qui la traite de « vieille peau ». Vous entendez, dans le lointain, les deux respectables dames s'insulter comme des charretières.

Vous, vous êtes restée pétrifiée.

Comment ça, vous n'êtes pas belle ?

Vous ne vous étiez jamais posé la question.

Depuis votre premier battement de cœur à l'âge de cinq ans, vous avez toujours eu des amoureux qui vous ont donné l'illusion que vous étiez la plus séduisante. Vous n'avez jamais mis en doute ce fait.

Vous galopez vous examiner soigneusement dans le miroir de la chambre de votre mère. Cela vous arrive rarement, votre ancienne éducation religieuse ne vous accordant qu'un fugace regard dans la glace pour vérifier que vous êtes propre, mal coiffée et, les grands jours, maquillée de travers.

La vérité vous apparaît.

La salope a raison.

Vous êtes LAIDE.

Des yeux vifs certes, mais d'un marron sans intérêt. (Pas les grands yeux verts en amande de la Circassienne.) Une frimousse ronde, bien bravette. Un petit nez d'accord mais de travers! Parfaitement de travers! De grandes dents de cheval. Des cheveux maigres, rebelles aux meilleurs coiffeurs!

Au secours!

Non seulement vous êtes laide, mais vous êtes AFFREUSE.

Vous êtes anéantie.

Oui! vous devez être une sorcière! Oui! vous allez faire le malheur de tout le monde! De Jean-Louis, de ce pauvre Alain si gentil et surtout de Petite Mère.

Trois mois plus tard, vous vous remariez.

Avec Jean-Louis.

À la mairie du 16ᵉ, avec deux clochards pour témoins.

Et encore trois mois plus tard, à peine le temps de vous installer dans le bel appartement que votre ex et nouveau beau-père vous a acheté, fidèle à sa promesse, Jean-Louis vous quitte.

Pour une certaine Béatrice.

Vous n'éprouvez aucun chagrin. Vous ne lui en voulez même pas. Dans le fond de vos cœurs, la réconciliation ne s'est pas faite. Comme une porcelaine brisée impossible à recoller. Vous n'avez cessé de penser à Alain. Il n'a pas oublié Muriel.

Vous convenez calmement tous les deux qu'il viendra chaque semaine déjeuner avec Pauline et vous. Et que vous resterez amis. (Il épousera quatre femmes qu'il trompera toutes les quatre et qui viendront bizarrement pleurnicher sur votre épaule de Première Épouse. Pauline mariée, vous continuerez à déjeuner ensemble, en cachette de vos conjoints respectifs, pour bavarder longuement de vos petits-enfants.)

Alain, lui, après un moment de désespoir violent et des menaces de suicide à son tour, a épousé très vite son Grand Cru bordelais. Vous en avez été, au fond de vous-même, un peu vexée. Vos prétendants les plus ardents semblent se consoler fort rapidement de votre départ. Vous constaterez, au cours de votre vie que cette légèreté est, hélas, un trait de caractère assez courant chez les hommes.

Vous avez souvent eu envie de revoir Alain.

Et de savoir pourquoi il avait donné votre prénom à sa fille.

Mais vous n'osez pas. Vous ne voulez pas que la vue d'une grand-mère dodue à cheveux gris efface le souvenir d'une petite sorcière qu'il conserve peut-être dans un coin de son cœur.

Enfin, c'est ce que vous vous racontez, le soir, au coin du feu.

La vérité cruelle est qu'il vous a complètement oubliée...

... au point de vous croiser dans la rue sans vous reconnaître.

CHAPITRE X

Des coupures de presse.

Pour la seconde fois de votre vie, vous jurez que les hommes, c'est ter-mi-né pour vous! Fi-ni! Basta! Vous allez vous consacrer à votre petite fille et à votre travail.

Parce que, à nouveau, vous êtes dramatiquement fauchée.

Certes, vous gagnez à peu près convenablement votre vie et vous êtes installée dans un bel apparte-ment. Mais les charges et les impôts en sont élevés et votre salaire plus vos commissions suffisent à peine à assurer l'existence de trois personnes.

M. Luquet s'accroche de tous ses ongles à son poste de Chef de Publicité de *Modes et Maisons* et vous n'avez pas réussi à prendre sa place, comme prévu dans votre Plan de Carrière. Juste obtenu le titre d'assistante, accompagné d'une maigre aug-mentation. (Le titre sans l'argent, telle vous semble être la politique patronale.)

Jean-Louis a démissionné de son poste d'archiviste de presse au cri de « Je suis sur un coup fumant! » et vous donne difficilement ou pas du tout la modeste pension alimentaire de Pauline. Vous prenez néan-moins le parti de rester en bons termes avec lui plutôt que de vous livrer à des scènes fatigantes, à de coûteux envois d'huissier ou même à une guerre de tranchées où Petite Mère risquerait d'être atteinte d'une balle perdue.

Vous vous livrez donc à une politique d'économies féroces. Et retrouvez les gestes de votre enfance austère où l'on éteignait soigneusement les lumières en sortant du grand salon aux précieux meubles anciens. Où l'on devait finir toute la nourriture dans son assiette (en cas de mal au cœur, penser aux Petits Chinois affamés). Ne manger du pain frais que le vieux terminé, ce qui revenait à ne consommer que de la baguette éternellement rassie. Porter ses vêtements jusqu'à l'usure totale. Etc.

À votre tour d'interdire de jeter le moindre croûton desséché. D'enlever, dès votre retour à la maison, votre robe de l'année pour celle de l'année précédente. De porter des bouts en fer à vos chaussures pour éviter les ressemelages trop fréquents (Votre pas étant résolu, vous marchez accompagnée d'un cliquetis guerrier.)

Petite Mère, elle, est habillée tant bien que mal par votre belle-mère, restée très affectueuse. Elle lui achète des kilts anglais et des manteaux d'hiver chauds et coûteux. Comme vous, enfant, Pauline les porte trop longs la première année, à la bonne longueur la deuxième. Et trop courte la troisième bien qu'allongés par l'ourlet défait qui laisse une trace blanchâtre sur le tissu.

Il existe néanmoins deux cas où vous ne mégotez pas.

Le cours privé – très cher – que fréquente votre héritière. Il ne vous vient même pas à l'idée de l'envoyer à la maternelle du quartier qui ne vous coûterait pas un sou. Votre grand-père sortirait de sa tombe si son arrière-petite-fille fréquentait l'école publique, laïque et républicaine.

Ensuite Mariette. Elle est toujours à votre service,

fidèle, bourrue, têtue. Chaque jour, plus bretonne que bretonne. Elle élève Pauline avec passion. Et vous lui pardonnez tout. La poussière qu'elle respecte. Sa cuisine, dégoulinante de beurre (breton). Ses vacances qu'elle prend obstinément au mois d'août alors que votre travail vous oblige à partir pour les vôtres au mois de juillet (Petite Mère est alors livrée à une succession de baby-sitters allemandes ou anglaises les plus fantaisistes). Et enfin, sa rapacité paysanne quant à ses gages qu'elle augmente d'autorité elle-même – suivant les conseils de ses collègues du parc Monceau. Vous payez sans discuter parce que d'elle dépend l'équilibre, la santé, la joie de vivre de Pauline. Mais vous calculez un jour que, Mariette, logée, nourrie, blanchie, payée, est, ô paradoxe, plus riche que vous. Du reste, elle se fait construire un pavillon dans le fond de son village du Morbihan avec les économies que vous n'avez pas. Et c'est à elle que vous empruntez souvent de quoi finir le mois!

Ce qui ne vous empêche pas de n'avoir pas toujours dans votre porte-monnaie de quoi payer le plein d'essence de votre voiture – pourtant utile à votre travail. Et de mettre toute la maisonnée – à partir du 20 – au régime jambon/nouilles, nouilles/jambon.

Vous décidez donc de trouver de nouveau un deuxième petit boulot.

Lequel?

L'idée vous apparaît, lumineuse. Puisque vous travaillez dans un magazine féminin, pourquoi ne pas écrire des articles payés à la pige?

Curieusement, les rédactrices de *Modes et Maisons* ne semblent absolument pas enthousiasmées par votre remarquable proposition. Vous n'êtes qu'une représentante du mercantile Service de Publicité et elles vous snobent. Vous vous entêtez. N'arrivant pas à se débarrasser de vous, une brave jeune femme chargée du Service Décoration vous commande un « Dossier sur l'argenterie ». Vous vous jetez sur le sujet comme un boxer affamé sur un os. Vous courez vous documenter à la Bibliothèque nationale sur l'histoire de la fourchette. Vous devenez imbattable sur les poinçons. Vous hantez Puiforcat, Odiot, Christofle. Vous passez plusieurs nuits à écrire, réécrire, re-réécrire votre article que vous finissez par apporter, triomphante et épuisée.

Refusé.

Motif : « N'a pas le style du journal. »

Votre moral en prend un sale coup. (Aussi quand le magazine fera faillite et que ses rédactrices se retrouveront au chômage, vous vous en réjouirez. D'accord, vous êtes non seulement rancunière mais totalement dépourvue de charité chrétienne.)

En attendant, une amie, journaliste d'un autre magazine féminin, *Femme moderne*, vous prend en pitié. Elle vous propose de vendre à sa propre rédaction votre malheureux papier. Sous son nom à elle.

50/50.

Vous acceptez.

Vous devenez négresse-pigiste.

Vous passez désormais la moitié de vos nuits et de vos week-ends à écrire frénétiquement sur n'importe quel sujet. Un film que vous n'avez pas vu. Une passoire à quatre tamis pour cuire des pâtes différentes. Des produits de beauté à base de lait de jument. L'art de maigrir en mangeant trop. Comment changer une roue de voiture (ce dont vous êtes et resterez incapable). Vous inventez même de fausses lettres de lectrices et vous fabriquez des horoscopes bidons. Etc., etc.

Cela vous rapporte peu. (50/50 !) Mais qu'importe, c'est du sou ! Vous n'avez plus le temps de vous occuper de Petite Mère qui s'en plaint. Vous vous obstinez avec la rage d'une taupe creusant son terrier.

126

Jusqu'au jour où vous rencontrez dans la rue Michel, de l'ex-bande des Futurs Écrivains de Jean-Louis. Il est devenu un jeune auteur à succès. Et vous invite amicalement à boire un verre. Ce soir-là, vous êtes encore plus fatiguée que d'habitude et vous vous laissez aller à lui raconter votre vie. Y compris que vous êtes négresse-pigiste. Il saute en l'air. Sa tante est rédactrice en chef du magazine *Élodie*. Il va vous présenter.

À votre grand étonnement, il le fait.

... et vous êtes engagée comme pigiste à part entière. Vous ne signerez pas vos papiers certes mais vous toucherez cent pour cent du prix de l'article. Ce coup-ci, ce n'est pas le titre mais l'argent.

Waaouhhh !

Vous êtes si contente que vous découpez vos articles anonymes. Et que vous vous penchez désormais avec encore plus d'ardeur sur votre machine à écrire dont le crépitement, toutes les nuits, provoque la fureur des voisins. Qui signent une pétition contre vous. Vous menacez de dénoncer ceux qui font travailler leurs femmes de ménage sans les déclarer à la Sécurité sociale. Le calme revient aussitôt.

Vos finances s'améliorent. Vous pouvez envoyer Pauline en vacances de neige dans un home d'enfants en Suisse (autre spécialité helvétique très chic, très chère). Elle part, enchantée – munie d'un trousseau de princesse marqué à son nom jusqu'au petit bonnet au pompon bleu enfoncé jusqu'aux yeux – et serrant contre elle une minuscule valise en carton rose dans laquelle elle transporte tous ses trésors dont une lampe de poche. Au pied du train, elle vous demande très sérieusement :

– C'est là qu'on pleure ?

– On n'est pas obligées de pleurer ! Je suis sûre que tu vas beaucoup t'amuser.

– Oui, mais toi, tu vas encore travailler, toujours travailler, soupire-t-elle.

– Il le faut bien, mon trésor, c'est la vie des mamans!

– Bon. Mais ne sois pas triste, hein! Je serai très sage.

Vous n'en êtes pas persuadée. Petite Mère possède une personnalité joyeuse et déjà redoutablement chahuteuse. Vous l'embrassez avec cette légère inquiétude qui – vous le constaterez plus tard – ne quitte jamais une mère, quel que soit l'âge de ses enfants.

Pauline monte dans le train. Vous filez lui acheter un dernier petit journal. Quand vous revenez, elle est déjà en train de faire admirer sa lampe de poche aux autres enfants de son âge et vous jette à peine un regard.

Dans le cadre de l'amélioration de votre budget, vous vous êtes offert, vous, un ravissant manteau orange de chez Dior (enfin, des soldes de chez Dior) dans lequel vous vous trouvez, ma foi, assez élégante.

Parce que vous avez envie de plaire.

Les hommes vous manquent.

Pas l'amour. Ça ter-mi-né... fi-ni... basta!

Mais faire l'amour.

Vous avez la nostalgie de la pavane de la séduction, de l'excitation du subit regard de désir, du frisson du premier geste, de la formidable allégresse de l'attente, de la fête du corps tout entier.

Oui, vous avez envie de faire l'amour.

Comme un mec.

Le cul chaud mais la tête froide. Non au piège du sentiment. S'enfuir à la moindre alerte de faiblesse du cœur. Ne plus jamais JAMAIS souffrir.

Première constatation : la vie étant contrariante par principe, on ne trouve pas facilement de bonshommes justement quand on en cherche (alors que

128

quand on en tient un, les autres tourbillonnent autour de vous comme des bourdons ivres). D'autant que vous n'avez plus d'amis. La bande des Fils à Papa de Jean-Louis a, de nouveau, disparu avec lui. Vous ne les reverrez jamais. Le groupe d'Alain où vous avez été admise un moment s'est également enfui, tel un vol d'étourneaux. Vous découvrez qu'une femme seule est socialement considérée à l'égale d'une pestiférée chez les bourgeois qui constituent votre entourage.

Heureusement, vous avez quelques copines bien à vous, « célibataires » elles aussi, avec les mêmes problèmes. À qui vous confiez vos coups de cafard et qui vous avouent les leurs. Vous décidez de fonder la Ligue des Gonzesses. Vous élaborez un plan de bataille pour gagner la guerre des sexes. Accepter systématiquement toutes les invitations, même les dîners d'anniversaire des vieilles tantes (qui, sait-on jamais, ont peut-être un neveu beau, gentil, marrant, riche, etc.). Courir les cocktails professionnels (il y a parfois des miracles : une pépite dans un filon tari). Ne jamais refuser une conversation avec un homme d'affaires dans un avion (certains ont peur et sont prêts à tout – même à quitter leur femme – si une gracieuse créature leur tient la main pendant le trajet), etc.

Dès qu'un mâle disponible est signalé, la Ligue des Gonzesses se réunit, passe des coups de fil à la ronde pour obtenir le maximum de renseignements sur le gibier choisi et donner son feu vert à la Diane chasseresse volontaire.

Le premier qui tombe dans vos filets est marié. Vous explique pendant une longue soirée qu'entre sa femme et lui... heu... eh bien... il n'existe plus que des rapports amicaux, c'est ça, purement amicaux... à cause des enfants...! voilà! à cause des enfants...! Vieille chanson à laquelle vous ne croyez pas une seconde. Cependant vous ne révélez pas à ce beau menteur que vous vous en fichez complètement. Vous craignez que cela ne l'agace. Vous avez raison. Au bout de quelques mois, il geint que vous n'avez pas pleuré son absence le soir de Noël et que vous vous refusez sèchement à une rencontre « par hasard » au zoo, avec Pauline, pendant qu'il y promènerait ses propres enfants. (Vous craignez l'instinct redoutable de Petite Mère.) Votre homme marié est également mécontent de devoir toujours vous emmener au restaurant puis à l'hôtel pour faire l'amour... alors qu'on serait si bien chez vous. Mais vous avez fait le serment qu'aucun représentant du sexe mâle ne passerait le seuil de votre porte. Toujours pour ne pas perturber Petite Mère. Votre amant vous fait alors remarquer aigrement que vous lui coûtez très cher. Vous quittez immédiatement ce radin.

Le suivant est un officier parachutiste, un très beau guerrier extrêmement fier de sa virilité. Mais, hélas, doté d'un cœur de midinette. (Vous remarquerez plus tard que, malgré leur réputation de brutes sanguinaires, c'est souvent le cas des officiers parachutistes.) Il se plaint, à son tour, de votre manque de sentimentalité. Vos départs hâtifs et désinvoltes en pleine nuit – pour être rentrée avant le réveil de Pauline – le traumatisent.

– Tu pourrais avoir l'air triste, au moins! s'exclame-t-il, boudeur.

Vous faites un effort les jours suivants et vous vous efforcez de perdre cinq minutes en salamalecs tendres avant de vous enfuir. Mais il sent bien que vous jouez la comédie et « jérémie » de plus belle :

– Tu me donnes l'impression que tu as toujours ton paquetage prêt ficelé pour me quitter et ça m'angoisse...

Vous vous séparez bons amis.

Vous devenez l'escale française du commandant de

130

bord d'un Constellation suisse. Il se marie avec une hôtesse de l'air thaïlandaise. Vous le regrettez un peu. Son calme et sa précision helvétique étaient apaisants.

Puis il vous arrive une drôle d'aventure. Vous vous laissez prendre au charme d'un beau et sombre Sicilien qui vous fait une cour effrénée tandis que vous passez quelques jours de repos – seule – au San Domineco de Taormina. Vous le croyez photographe de presse. Vous êtes simplement surprise de ne jamais le voir accompagné de ses appareils mais par deux de ses « frères ». Vous craignez de comprendre, la veille de votre départ, qu'il n'appartient pas en fin de compte à la fine fleur des cameramen mais à celle de la Mafia. Il vous interdit carrément de rentrer en France et vous intime l'ordre de rester, là, en Sicile, avec lui. Vous lui riez au nez. Il vous gifle. Vous vous enfuyez, cachée par terre à l'arrière d'un taxi, jusqu'à Palerme, où vous sautez dans le premier avion. Qui part pour Hambourg. D'où vous vous débrouillez pour rejoindre Paris...

... où votre mafioso débarque deux jours plus tard avec ses « frères ». Il vous téléphone. (Vous ne saurez jamais comment il a trouvé votre numéro... par un autre « frère » sûrement!) Il n'a pas du tout aimé votre disparition. Il vous convoque sèchement à son hôtel.

Là, vous paniquez complètement. Qu'est-ce qui vous a pris d'aller vous fourrer dans une histoire pareille? À cause de votre légèreté, vous allez vous retrouver dans un bloc de béton au fond de la Seine et Petite Mère sera orpheline.

Une seule personne peut vous aider. Yves, votre ex-para. Vous lui expliquez la situation. Il a l'élégance de ne faire aucun commentaire. Bien sûr, il va vous accompagner à votre inquiétant rendez-vous. Avec deux copains, paras également.

C'est donc à la tête d'un commando de choc de l'élite militaire française que vous retrouvez, dans le hall de son hôtel, Renato et ses « frères ».

Votre amoureux sicilien, très « parrain » dans un costume de soie noire avec chemise noire et cravate blanche, vous explique calmement ce qu'il veut. Vous allez devenir sa femme française (il a déjà une vraie épouse sicilienne et plein de bambini). Il vous prend fastueusement en charge ainsi que votre fille. En échange, vous êtes à sa disposition. Si vous désirez rester à Paris, il est d'accord. Si vous n'acceptez pas sa proposition, il se mettra très en colère et ses « frères » aussi.

Il fait le geste de vous balafrer le visage du tranchant de la main.

— Qu'est-ce qu'il dit, ce connard à la gueule de mac? interroge Yves le Para.

Vous le lui expliquez.

— Réponds-lui que s'il te touche, lui ou ses gorilles, on leur coupera les couilles, même au fin fond de la Sicile, répond calmement Yves.

Ses copains approuvent, enchantés à l'idée d'un peu d'action.

Vous transmettez à Renato.

Il médite quelques minutes, en silence.

— Il t'aime? interroge-t-il, en désignant Yves.

— Oui, mentez-vous.

— *Allora*, je ne vais pas me battre pour une pute!

Il se lève et sort dignement de l'hôtel, escorté par ses gardes du corps.

Ouf! Soulagée, vous remerciez vos propres troupes avec de gros bisous sur les joues. Et vous vous jurez de ne plus jamais prendre d'amants italiens. Trop d'ennuis, vraiment!

Mais l'insulte de Renato s'est fichée comme une épine dans votre cœur.

C'est vrai que vous êtes en train de devenir une pute. Ou tout au moins quelqu'un que vous n'aimez pas. Loin, si loin de la petite jeune fille pure et idéaliste de vos seize ans.

L'amour, sans la tendresse, ressemble à un enfer glacé.

Depuis l'aventure calabraise, vous vivez perpétuellement hantée par la terreur de vous retrouver enceinte. Cette angoisse vous empêche de vous laisser aller, sans arrière-pensée, au plaisir. Vous avez beau essayer de choisir des hommes assez honnêtes – du moins, vous l'avez cru jusqu'à Renato – pour éviter de vous faire un enfant, vous avez appris à vos dépens que la maîtrise totale de l'impulsion sexuelle n'est jamais assurée. Temps abominable où la pilule n'existait pas et où la femme sur le qui-vive surveillait, stressée, la montée de l'exaltation de son compagnon. Fais attention, je t'en prie ! Oui ! Oui ! Ne t'inquiète pas !... Et crac !

Le calendrier à la main, vous effectuez sans relâche des calculs compliqués, suivant saint Ogino, dont vous savez qu'ils ne valent rien. Vous êtes verrouillée d'un diaphragme que vous êtes allée spécialement acheter en Suisse mais dont vous craignez tout le temps qu'il ne glisse. Quant au préservatif, vous êtes trop timide pour le réclamer.

Vous en discutez lors d'une réunion de la Ligue des Gonzesses. Vos copines connaissent les mêmes affres mais accusent vos passades. Une liaison sérieuse et durable leur apporte, prétendent-elles, plus de confiance en leurs amants.

Les pauvres.

Françoise aime Éric. Ils projettent de se marier. Ils ont même visité leur futur appartement. Seul nuage : Éric parle tout le temps de présenter Françoise à sa mère mais ne le fait jamais. Plus tard, dit-il. Par exemple, après un voyage d'amoureux au Portugal. Françoise prend les billets et, le jour du départ, attend Éric devant leur wagon-lit. Il n'apparaîtra jamais. Affolée, elle ne monte pas dans le train et va téléphoner à la mère de son fiancé.

– Malheureuse petite! Éric ne viendra pas, lui annonce celle-ci. J'ai cherché à vous prévenir. Il a une vieille maîtresse à la colle qu'il ne quittera jamais.

Jacqueline aime Thomas. Il est charmant et gagne beaucoup d'argent dans l'immobilier. Elle lui confie ses économies à placer. Il disparaît avec, le délicieux escroc.

Après de tels avatars, la Ligue des Gonzesses, en réunion plénière, conclut qu'il n'est plus question, en aucune manière, de faire confiance aux Hommes.

D'ailleurs, en valent-ils la peine?

Vos quelques expériences vous ont fait découvrir une chose stupéfiante : la misère sexuelle de beaucoup de mâles.

D'abord, une inquiétude quasi cosmique, surgie dès l'enfance, concernant la taille de leur Petit Bonhomme. Suivie ensuite par la terreur que Petit Bonhomme ne se comporte pas vaillamment. Soit avec la rapidité – frustrante pour une femme – d'une formule 1. Soit qu'il se révèle incapable de prendre le départ. Auquel cas, Grand Bonhomme s'effondre dans la honte la plus absolue. C'est la première fois qu'une chose pareille lui arrive. La femme doit alors vite le rassurer. Ce n'est pas grave! Peut-être l'émorion? Oui! Oui! C'est cela! l'émotion... Il vous aime trop? Oui! oui! C'est cela! Il vous aime trop... Ce sera formidable la prochaine fois, mon chéri!

Autre angoisse de Grand Bonhomme : la dame est-elle contente de la gymnastique forcenée à laquelle il vient de se livrer? Pire encore : était-ce mieux avec les AUTRES? (S'il craint que oui, Grand Bonhomme regrette de ne pas être musulman pour faire lapider à mort la femelle mécontente.)

Incroyable, à ce propos, de constater à quel point le mâle, modèle courant, est ignorant de nombre de pratiques érotiques. Il n'a pas la chance de lire avidement, comme sa compagne, des magazines féminins qui n'hésitent pas à les informer des initiatives les plus hardies et les plus délicieuses.

À noter que pour les hommes de votre génération – encore sous le coup du puritanisme obsessionnel des Pères de l'Église – le corps de la femme était à la fois bonheur et péché, émerveillement et impureté. Il arrivait qu'un amant surpris demande avec agacement et jalousie : « QUI t'a appris ça? » L'Homme aime que la dame avec laquelle il baise soit à la fois vierge et courtisane.

Vous croyez savoir que cela continue.

Récemment, une de vos amies, mère d'un garçon de vingt ans, constatait avec surprise que son magnétoscope enregistrait tout seul, la nuit, des films de Canal +. Elle n'y prêta pas attention jusqu'au jour où ledit magnétoscope tomba en panne. Elle fit venir le réparateur qui, pour vérification, introduisit dans l'appareil une cassette prise au hasard dans la vidéothèque. Surgit alors sur l'écran un énorme sexe mâle en érection suivi d'images très pornographiques d'un film hard. Votre respectable copine crut périr de honte sous l'œil goguenard du réparateur.

– C'est mon petit cochon de fils qui regarde ça en douce! vous téléphona-t-elle, encore sous le choc, je vais annuler mon abonnement à Canal +.

– Surtout pas! Avec qui veux-tu que ce pauvre gosse apprenne autre chose que la position du mis-

135

sionnaire? Pas avec les petites jeunes filles de quinze ans avec qui il sort? Ni avec des putes qui vont lui filer le Sida? Ou peut-être as-tu une cousine prête à l'initier aux jeux de l'amour comme cela se pratiquait au XIXᵉ siècle?

– Mes cousines habitent l'Australie et le voyage coûte cher, se plaignit votre copine. T'as raison. Je vais garder mon abonnement à Canal +.

Ébranlée par les remarques de la Ligue des Gonzesses, vous essayez d'entamer une liaison bourgeoise suivie avec un jeune énarque du ministère de la Culture.

Vous acceptez même de rester prendre votre petit déjeuner chez lui, un dimanche matin où Pauline passe le week-end chez votre mère.

Vous apparaît alors une chose étonnante. Il est plus difficile de partager son petit déjeuner avec un homme que l'on n'aime pas que de coucher avec lui. Ses vilains défauts surgissent alors comme des pissenlits dans la barbe qui pousse sur ses joues.

Au-dessus du café, votre jeune énarque du ministère de la Culture se révèle d'une fatuité que vous n'aviez pas soupçonnée.

– Tu as remarqué? Quand je fais l'amour, mes yeux bleus deviennent verts!

Vous n'aviez rien remarqué du tout. Poliment, vous lui assurez néanmoins que ce phénomène ne vous a pas échappé et qu'il est admirable.

Vous savourez votre tartine beurrée trempée dans un grand bol de noir – l'un de ces moments délicieux de la vie. L'autre vous le gâche en insistant :

– C'était bien, hein?

– Formidable! répondez-vous avec empressement, la bouche pleine d'un gros morceau de baguette croustillante.

136

– T'as vu?... TROIS FOIS!!!

Là, vous commencez à être agacée. Vous auriez préféré, quant à vous, une longue étreinte satisfaisante que trois rapides visites, hop, hop, hop, comme un lapin. Mais ce sont là des choses qui ne se disent pas. Qui ne se pensent même pas. Taboues.

– Il paraît que je suis un bon coup! reprend votre fat en se tripotant voluptueusement les poils de la poitrine.

Brusquement, vous en avez assez de ce bellâtre.

Vous vous levez, bousculant le plateau du petit déjeuner et vous vous rhabillez.

– Où tu vas?
– Je te quitte!

Il roule des yeux effarés.

– Mais pourquoi?
– Tu fais l'amour comme une savate!
– Hein? Quoi?... Ce n'est pas ce que tu disais cette nuit!
– Si tu savais le nombre de femmes qui font semblant, pauvre mec! Rien de plus facile pour elles que de meugler « Rhâhâhâhâh... Râhâhâhâhâhâ... Encôôôôôôôre...! »

Il est violet de rage.

– Salope!
– D'accord! Je suis une salope! Mais toi, tu es pire : un con sans humour! Ciao!

Vous claquez la porte. Vous la rouvrez.

– Autres choses : tu as un zizi de quatorze ans, une odeur antipathique et tu ne seras jamais ministre!

Cette fois, vous l'avez achevé.

Mais vous, vous êtes en train de devenir une garce.

Pour la nième fois de votre vie, vous jurez que les Hommes, pour vous, c'est ter-mi-né! Fi-ni! Basta!

Exception faite de Peter.

137

Peter, c'est votre compagnon de tous les instants.

Un soir de mélancolie et de solitude, vous vous êtes amusée à l'inventer.

Peter est anglais (vous ne savez trop pourquoi). Professeur de littérature américaine et française (un intello, quoi). Grand. Maigre. Portant des lunettes. Toujours habillé british d'une veste de tweed, d'un pantalon de velours déformé et d'une écharpe de cashmere autour du cou. Il est calme, tendre, doux, plein d'humour. Il ne parle à personne, sauf à vous. Il aime les grandes balades en forêt, en votre compagnie, pendant lesquelles vous lui confiez la moindre de vos pensées. Il lit, le soir, à côté de vous, dans votre lit. Il vous réconforte contre sa poitrine – un peu étroite et blanche – quand vous êtes lasse de la vie. Il sait, lui, que vous n'êtes pas une putain mais une petite fille paumée.

Peter est merveilleux.

Il ne vous fait pas l'amour, bien sûr. Mais il fait mieux. Il vous donne la gentillesse, l'affection, la complicité dont vous avez besoin.

Vous serez désormais fidèle à Peter.

La Rédactrice en Chef de votre magazine *Élodie* vous convoque. Et, divine surprise, vous couvre de compliments. Elle aime beaucoup vos articles, votre style, votre ardeur au boulot. Elle a décidé de vous confier une chronique régulière dans le journal, signée de votre nom, ornée de votre photo, et payée convenablement. Ollé!

Votre destin est désormais tracé : la gloire, pas l'amour.

Vous le croyez.

CHAPITRE XI

La carte postale de Boroboudour.

Votre chronique dans la revue *Élodie* obtient un certain succès. Vous recevez même des lettres d'encouragement de lectrices. Seules, les rédactrices de *Modes et Maisons* – où vous continuez à galérer comme assistante au Service Publicité : vous avez toujours besoin financièrement de deux boulots – pincent les lèvres en vous voyant. Cela vous ravit. Votre ambition s'enfle. Pourquoi ne pas rêver de diriger un grand journal féminin ? Ou mieux, un hebdo politique. Le fait que vous ne connaissiez rien à la politique ne vous inquiète pas. Il vous semble que vous êtes capable de tout.

En attendant, vous vous installez dans une vie monacale qui vous apporte une certaine paix après le tourbillon boulots-maison-mecs que vous avez vécu ces dernières années. La Ligue des Gonzesses fonctionne toujours. Augmenté d'un Réseau des Filles qui infiltre tous les milieux parisiens de la simple secrétaire à la superwoman. La rumeur que vous avez renoncé aux bonshommes se répand et les copines profitent de votre soi-disant disponibilité pour vous prendre comme confidente numéro 1. Votre téléphone ne cesse de sonner.

Petite Mère grandit.

« Le ciel par-dessus le toit, si bleu, si calme... »

Vous êtes en train de boire un verre de Blanquette de Limoux dans un cocktail de presse en écoutant pieusement une dame mal fagotée qui a l'air de vous connaître intimement. Vous ignorez absolument son nom. Votre regard vagabonde sur la foule des invités.

Vous l'apercevez.

Un immense gaillard avec de larges épaules, un nez fort et busqué et des cheveux bouclés en désordre (vous avez un faible pour les hommes aux cheveux bouclés. Cela leur donne un charme un peu enfantin qui vous émeut). Appuyé contre un mur, il rêve. Prodigieusement indifférent à tout ce qui l'entoure.

Une jeune femme passe et lui tend une coupe de champagne. Il la prend et lui sourit.

Il a le plus merveilleux sourire du monde.

C'est LUI.

L'Homme de votre vie.

Vous ressentez comme un léger étourdissement. Des images défilent dans votre tête, que vous ne voyez pas mais dont vous ressentez le message.

Vous allez épouser cet inconnu.

Lui donner des enfants.

L'aimer à la folie.

Souffrir mille morts.

Vous ne songez même pas à vous débattre. C'est écrit. Inch' Allah!

Vous plantez là votre raseuse et vous attrapez le bras de Clara, l'attachée de presse, qui fait partie du Réseau des Filles.

— C'est qui, ce grand type là-bas, tout seul, avec un blouson kaki?

Elle se retourne.

— Alexandre V. Célèbre reporter. Beaucoup de talent. Un caractère de chien. Phallo-miso-macho. Séduit toutes les femmes. N'en garde jamais aucune.

Ne semble avoir aimé que sa congaï indochinoise qui est morte.

– Un déjeuner au Fouquet's si tu me le présentes.

– Tu es folle!

– Oui.

Clara va chercher le colosse et l'entraîne dans votre direction. Il vous regarde d'un air surpris puis légèrement ironique. Clara lui explique que vous désirez l'interroger sur la situation en Algérie d'où il rentre, et disparaît, prétextant ses devoirs d'hôtesse (merci, Clara!).

Vous restez face à face avec votre futur grand amour. L'ennui est qu'il ne le sait pas encore. Il persifle.

– Ainsi, on s'intéresse à la guerre d'Algérie jusque dans les cocktails parisiens?

Vous encaissez avec le sourire.

– Mon père est général, là-bas.

– En ce cas, il peut vous expliquer la situation mieux que personne. Parce que, moi, vous savez, je ne suis qu'un pauvre petit reporter...

– Allons bon! Clara s'est trompée : elle m'avait vanté votre intelligence et vous me faites le coup de la fausse modestie! Quelle tristesse!

Il sourit de nouveau, de ce sourire qui vous fait fondre comme une glace à la vanille au soleil. Floc.

– Arrêtez votre bla-bla mondain. Je vous ai vue parler avec Clara en me désignant. Elle vous a prévenue que j'étais un affreux macho pourvu d'une tête de cochon?

– Absolument. Je vous ai acheté quand même.

– Cher?

– Un déjeuner au Fouquet's.

Il siffle et rigole.

– Hé bé, dites donc, je ne me rendais pas compte que j'avais une telle valeur sur le marché! Et qu'est-ce que je suis supposé faire? Vous violer ou me laisser violer?

141

– De plus en plus décevant! Vous en êtes encore au vieux schéma du mâle viril et protecteur et de la pauvre petite femme qui espère ses faveurs!

Il s'incline moqueusement.

– Pardon, Madame, mais je n'ai pas l'habitude des Amazones.

– Je peux vous jurer que j'ai mes deux seins au complet, lui annoncez-vous gaiement.

– Voilà enfin une bonne nouvelle!

Le silence tombe sur le champ de bataille. Vous avez perdu. Par votre faute. Pourquoi avoir pris ce ton provocant qui n'est pas dans votre nature? Vous avez envie de pleurer. Non. Il vous prend par le bras.

– On arrête de dire des conneries et on quitte cet endroit sinistre?

Vous le suivez sans lui demander où il vous entraîne.

Droit chez lui.

Vous n'échangez pas une parole ni l'un ni l'autre. Vos corps se sont déjà tout dit silencieusement.

La nuit est magique.

À l'aube, ce n'est pas vous qui vous levez la première mais lui. Il s'habille tout en remplissant un sac de voyage. Il a retrouvé son air indifférent.

– Je pars. Vous n'aurez qu'à claquer la porte derrière vous.

– D'accord. Bon voyage.

Il paraît surpris.

– Vous ne me demandez pas où je vais?

– Non.

– Vous ne me demandez pas quand on va se revoir?

– Non. Pourquoi aurais-je envie de vous revoir plus que vous? ô homme plein de fatuité!

142

Et toc. Naturellement vous mentez. Vous ne rêvez que d'une chose : le garder dans vos bras. Toujours. Mais vous avez compris qu'un tel aveu le ferait rester au bout du monde où il va probablement.

– Touché! Seriez-vous, par hasard, différente des autres bonnes femmes?

Vous affectez un air humble.

– Vous connaissez le cri de Dominguin, le torero : « *Soy el Uno!* » Eh bien, moi ... « *Soy la Una!* »... la Première! L'Unique!

Il se marre et vous adresse un petit geste amical d'adieu.

– Salut, Madame l'Unique!

– Salut, Monsieur le Macho!

Il est parti.

Vous vous effondrez en larmes dans l'oreiller où flotte encore son odeur. Vous savez qu'il ne vous téléphonera pas à son retour.

Il ne le fait pas.

Deux mois passent.

Clara vous tient au courant : il est rentré à Paris, reparti, re-rentré.

Vous achetez un chien.

Parce que par une coïncidence – qui jouera un grand rôle dans votre vie – il habite dans la rue juste derrière la vôtre. Et tous les matins et tous les soirs, vous allez promener Rocky devant chez lui. Un troisième mois passe. Vous vous entêtez comme une flambeuse accrochée à sa roulette. Votre numéro finira bien par sortir.

Il sort.

Un matin, Alexandre surgit enfin de son immeuble et vous regarde avec stupéfaction. Il est en pyjama noir vietnamien.

– Qu'est-ce que vous fabriquez là?

– Je fais pisser mon chien contre votre porte cochère, il l'adore, admettez-vous joyeusement.

Alexandre vous sourit. (Et, floc, votre cœur fond à nouveau comme glace à la vanille au soleil.) Il vous avait visiblement oubliée. Mais paraît content de vous revoir.

— Vous avez pris votre petit déjeuner?

— Non, mentez-vous avec ardeur.

— On y va?

Il vous entraîne dans le bistrot à côté où le patron n'a pas l'air surpris par le pyjama noir. Vous reprenez sans faiblir un solide deuxième breakfast. Et le miracle se produit. L'Homme de votre vie mais-qui-ne-s'en-doute-pas commence à vous raconter avec passion son dernier reportage chez les Meos dans le Triangle d'Or. Vous buvez ses paroles. Rien ne compte plus pour vous au monde que cette voix, ces yeux, ce corps qui sait vous donner tant de plaisir.

Vous êtes folle d'amour.

Une heure passe. Puis deux. Alexandre parle toujours. Vous n'avez pas bougé d'un cil de peur de rompre l'enchantement. Tant pis pour le bureau et les clients avec qui vous aviez rendez-vous. Vous prétendrez que vous avez eu un accrochage en voiture... heu... avec un automobiliste particulièrement embêtant quant au constat.

Tout à coup, Alexandre sursaute et regarde sa montre.

— Hein? Voilà plus de deux heures que je bavarde et que vous me prêtez sagement attention. Oh! Oh! Il faut que je me méfie de vous. Une femme qui sait écouter, c'est très dangereux pour un pauvre homme...

— C'est parce que j'ai été dressée dans un harem, expliquez-vous gravement.

Il a un geste d'étonnement (30 pour vous).

— Dans un harem?

Vous inventez sur-le-champ votre enlèvement par un émir du Yémen et comment, devenue Grande

144

Favorite, vous avez appris les règles de la séduction avant de réussir à vous enfuir, grâce à un eunuque amoureux fou de vous...

L'Homme de votre vie vous regarde, les yeux ronds. Puis il éclate de rire :

— Vous vous foutez de moi !

— Oui. Mais l'histoire était jolie, non ? Du reste, cela a failli m'arriver, il y a des années, dans un avion pour Sanaa où j'étais seule Européenne avec un émir et toutes ses femmes et où il m'a proposé de devenir sa quatre-vingt-huitième épouse...

Il reste silencieux. Vous attendez. Vous ne savez pas encore que vous allez passer votre vie à attendre cet homme.

— Bon. Madame Shéhérazade, si on partait passer le week-end à Honfleur ?

En quelques secondes, vous prenez votre décision. Pour le bureau, votre accrochage de voiture va se transformer en accident nécessitant votre entrée et mise en observation à l'hôpital. Votre mère sera sûrement ravie de prendre Pauline pour le week-end. (Depuis qu'elle s'occupe de sa petite fille, ses dépressions ont tendance à s'espacer et elle se révèle meilleure grand-mère que mère.) Ah ! Penser aussi à décommander le dîner avec Marlène et le cinéma avec Julie...

Le week-end à Honfleur est magique.

Alexandre vous ramène devant chez vous, le dimanche soir, et vous murmure simplement :

— Merci, Madame. J'ai passé trois jours exquis grâce à vous.

Vous esquissez une révérence moqueuse.

— Moi aussi, Monsieur.

145

Il vous embrasse légèrement. Vous sortez de la voiture. Il démarre avec son habituel petit geste d'adieu.

Il ne vous a toujours pas dit quand il vous rappellerait. Ni même s'il le ferait.

Je te hais, mon amour!

Quinze jours sans un signe. Vous avez guetté un appel, tous les soirs près du téléphone, sans oser sortir, vérifiant toutes les heures que l'appareil n'était pas en dérangement. Peter vous a engueulée.

— Tu te conduis comme une gamine de seize ans!

Vous n'avez pas répondu. Il a raison. Mais vous aussi. Le Grand Salaud et vous, vous êtes les deux moitiés d'une même orange.

Enfin, il vous téléphone au bureau. Sa voix n'est pas chaleureuse.

— Vous êtes libre, ce soir?

— Oui.

Pauvre idiot. Qui n'a pas encore deviné que vous serez toujours libre pour lui, quitte à décommander le Pape.

— On se retrouve à 8 heures au Petit Bedon?

Dès que vous l'apercevez, vous comprenez que l'orage menace. Sa mine est sombre. Il a déjà trop bu. Il vous explique, en parlant très fort, qu'il rentre d'un reportage en Afrique où il a vu des choses abominables. Des hommes torturés à mort. Des femmes éventrées à la hachette. Des enfants crucifiés à des portes. Il en a assez de ce métier de chien. Il en a marre de ce monde de merde et de violence. Il commence à se faire trop vieux pour toutes ces horreurs.

Entre alors dans le restaurant un groupe dont une jeune femme très élégante et belle se détache et se dirige vers votre couple. Ses yeux flamboient de colère en vous regardant. Elle pose sa main aux longs ongles rouges sur la nuque de votre compagnon. Votre jalousie espagnole commence à bouillonner.

146

– Alexandre, mon chéri, comment vas-tu? Tu ne m'as pas rappelée comme convenu, sale type!

L'Homme de votre vie tourne vers elle un visage noir.

La tempête va éclater.

Vous n'êtes pas déçue.

– Madame, ce n'est pas parce que vous m'avez fait l'honneur de baiser avec moi une fois ou deux que cela vous donne le droit de m'appeler « mon chéri », déclare-t-il, froidement.

Elle reste pétrifiée de honte et de rage. Ne trouve même pas une réponse. Tourne les talons et rejoint son groupe d'amis.

Alexandre avale cul sec un grand verre de Bordeaux et vous dévisage avec agressivité. Allons bon! Le cyclone se dirige maintenant vers vous. Vous vous recroquevillez sur la banquette.

– Je hais ces bonnes femmes possessives et leurs simagrées de mémères! Les « mon chéri »... les « je t'aime »... les « toujours »... du romantisme bidon que les magazines leur fourrent dans la tête!...

Vous ne répondez pas. Il vous regarde d'un air soupçonneux.

– Et vous non plus, hein, ne vous avisez pas de vous faire des illusions sur moi! Je ne supporte pas la sentimentalité de notre époque molle. Je suis misanthrope et fier de l'être.

– Hon! Hon! marmonnez-vous lâchement.

Il vous accuse :

– Vous autres, femmes occidentales, vous êtes infernales! Il vous faut l'indépendance, l'égalité avec les hommes et, en même temps, les ronds de jambes de l'amour courtois. De toute façon, au royaume du cœur, vous n'arrivez pas à la cheville des femmes asiatiques!

L'ombre légère de Maï, l'Indochinoise, passe. L'accablement vous saisit. Comment lutter avec le souvenir lumineux d'une femme aimée, morte? Vous craquez :

– Vous... (STOP! Vous allez prononcer le mot défendu : « aimer »)... vous teniez beaucoup à Maï?

– Oui.

Il descend encore un autre verre de vin rouge. L'ivresse commence à embrumer sa lucidité et ses défenses. Vous vous enhardissez :

– Qu'est-ce qu'elle avait de plus que les autres? (Non. Vous n'avez pas dit : ... « que moi »!)

– Quelle que soit l'heure à laquelle je rentrais, Maï m'accueillait avec le sourire... et elle m'enlevait mes chaussures!

Vous restez pétrifiée. Malgré la passion dingue que vous éprouvez pour cet homme à moitié soûl, affalé en face de vous, vous vous imaginez mal à genoux dans votre entrée, en train de lui remplacer ses Weston par des charentaises.

Il ajoute avec rancune :

– Une femme asiatique donne toujours à l'homme le sentiment qu'il est le plus formidable du monde!

Cette fois, le message passe.

Cette grande gueule cache un enfançon inquiet qui a besoin d'une maman toute à lui, qui l'aime et l'admire sans désemparer. Exception faite des heures où elle doit se transformer en maîtresse voluptueuse. Bref, éternellement la Maman et la Putain. Et la femme asiatique est experte à ce petit jeu. Jusqu'au jour où.

Vous ne racontez pas à Alexandre l'histoire de P., un correspondant à Tokyo d'un groupe de presse français. Qui ne cessait de célébrer, dans ses articles, la civilisation japonaise et surtout ses femmes dont la délicatesse, l'éternel sourire, la soumission, la fragilité faisaient ressortir le côté grosses femelles éléphantes dans un magasin de porcelaine des rudes pouffiasses occidentales. Son enthousiasme délirant avait fini par vous taper sur les nerfs. Et vous comptiez l'interviewer, à ce sujet, lors d'un de vos voyages au Japon.

Votre rendez-vous était fixé tard dans la soirée à son bureau sur la Ginza. Vous vous perdez dans les couloirs déserts. Jusqu'au moment où vous entendez un bruit de sanglots. Vous vous dirigez dans cette direction et vous découvrez P. en larmes écroulé dans son fauteuil. Vous vous précipitez. Un drame a dû s'abattre sur le pauvre homme. Oui. Son adorable petite femme japonaise le trompe et le quitte froidement pour son patron à lui.

Vous êtes rentrée à Paris, méchamment contente d'avoir appris que les si gentilles et douces poupées asiatiques pouvaient être des garces comme les autres.

À la fin du dîner, Alexandre est complètement ivre. Il lui reste tout juste assez de conscience pour vous acheter la cargaison entière de roses d'une petite vieille qui passait avec sa corbeille dans le restaurant. Vous aviez pourtant commencé par refuser. L'Homme s'était montré mécontent.

— Pourquoi tu ne veux pas que je t'offre des fleurs? Toutes les femmes aiment les fleurs.

Tiens! Il vous tutoie quand il est soûl.

— Moi aussi, j'adore les fleurs! Mais le coup d'acheter la corbeille de roses au restaurant... j'ai l'impression d'être dans un film d'avant-guerre!

— Je ne comprends rien à ce que tu es ni à ce que tu me veux! bredouille-t-il d'une voix pâteuse. De toute façon, j'achète les roses pas pour toi, mais pour que cette pauvre vieille puisse aller se coucher!

— Alors, d'accord!

Il s'effondre à moitié. Empêtrée dans vos Baccarat, vous réussissez néanmoins à le ramener chez lui, à le déshabiller, à le coucher. Et vous vous glissez dans son lit, contre lui, écoutant ses ronflements comme un divin concerto de Beethoven. C'est vraiment bêêête, une femme amoureuse!

Le lendemain matin, l'Homme de votre vie dort toujours, la bouche ouverte. Même ainsi, vous le trouvez beau. Vous préparez le plateau de son petit déjeuner (comme Maï l'aurait sûrement fait) et vous le décorez avec l'une de vos roses et un petit mot : « Salut à toi, ô mon beau Chevalier ivrogne! Que la journée te soit favorable! »

Le soir, quand vous rentrez chez vous, un fabuleux bouquet d'orchidées vous attend avec une carte : « Le Chevalier ivrogne demande pardon à la Belle Dame dont il est indigne. » Vous vous jetez sur le téléphone pour le remercier. Il rigole et vous raconte sa journée. Vous êtes à la fois follement contente d'entendre sa voix et épuisée à force de vous retenir de demander : « Quand est-ce qu'on se voit? » Non. Plutôt la guillotine de vos grands-mères. Vous avez même le courage inouï de lui souhaiter gaiement : « Bonsoir! »

Miracle. À l'autre bout du fil, la voix se teinte de surprise :

— Tu ne viens pas?

— Où ça?

— Ben... chez moi!

— On va faire des choses dégoûtantes? demandez-vous d'un ton plein d'espoir.

Il rit.

— Pire encore!

— Alors, j'arrive!

Vous avez envie de danser de joie. L'animal sauvage commence à se laisser apprivoiser. Mais vous sentez bien qu'au moindre faux mouvement de votre part, il s'enfuira dans la forêt. Vous conservez donc une attitude tendre un peu distante tout en dissimulant obstinément votre vilaine tendance à la possessivité. Vous lui dites simplement : « Bon voyage ! » quand il part. Du coup, il vous avertit à l'avance et vous révèle même où il va. Vous êtes à sa disposition quand il rentre. Entre-temps, vous vous êtes documentée sur le pays où il a travaillé. Car il aime discuter avec vous de ses reportages. Mais ne s'étonne jamais de vous trouver si au fait. Peut-être vous prend-il pour Madame Pic de La Mirandole. Vous êtes toujours prête à rire quand il en a envie. Vous vous faites douce quand il est d'humeur sombre. Vous restez stoïque quand il s'en prend au monde entier.

Vous avez l'impression de mériter le prix d'excellence de la meilleure Geisha de Paris.

Votre conduite scandalise la Ligue des Gonzesses. Le Réseau des Filles menace de vous fusiller. Vous plaidez qu'il est normal qu'une femme se donne autant de mal pour séduire son homme que pour décrocher une affaire. Non ? Argument accepté de justesse. Pour vous racheter, vous tenez hypocritement des propos ardemment féministes dans votre chronique... qu'il ne lit pas ! Vous seriez heureuse, n'était cette éternelle angoisse tapie comme un renard dans votre estomac. À chaque fois qu'IL tourne le coin de la rue, vous avez peur de ne jamais le revoir. Il ne vous a jamais dit qu'il vous aimait. Même pas avoué qu'il tenait à vous. Et vous vous damneriez pour qu'il le fasse. Juste une petite fois. Surtout ne pas le lui demander. Vous connaissez le sort de la Femme de Barbe-Bleue.

Vous continuez à assumer vos deux boulots du mieux que vous pouvez. Avec cette difficulté supplémentaire de rester toujours disponible pour LUI. Vous écrivez à des heures insensées, la nuit. Vous ne dormez pas assez. Vous êtes hagarde.

Un jour, vous faites une erreur.

Vous avez beau habiter la rue derrière la sienne, cela vous embête de trimballer sans arrêt votre brosse à dents. Et la phrase maladroite vous échappe. Ne pourriez-vous pas la laisser chez lui?

— Non, répond-il froidement. J'ai horreur des affaires de bonne femme qui traînent dans ma tanière.

Pour la première fois, vous partez sans l'embrasser et en claquant la porte. Vous allez rompre avec ce chien. Merde. Pour qui se prend-il? Qu'il aille se faire foutre avec sa liberté chérie!

— Pauvre malheureuse! tu n'auras jamais la force de le quitter! observe Peter.

— Si je veux... si!

— Mais non!

— Tu vas voir. S'il appelle, je ne réponds pas au téléphone. Mieux. Je ne serai même pas là. Je vais aller au cinéma!

— Toute seule?

— Et alors? Et dès demain, je vais me chercher un autre type. Un gentil. Qui me dira toutes les heures qu'il est amoureux fou de moi!

Le soir, quand vous rentrez du bureau, vous trouvez quatre-vingt-dix roses rouges (il y en a partout) : « Pardon, Madame! Mais je suis comme cela. » Vous vous jetez sur le téléphone pour lui demander pardon à votre tour. Si. Si. C'est vous qui êtes une emmerdeuse avec votre brosse à dents...!

Vous vous changez vite pour courir retrouver votre Grand Salaud.

— Pauvre idiote! ricane Peter.

— Toi, tais-toi, tu ne comprends rien à l'âme féminine.

Et vous continuez à trimballer votre petit sac de toilette.

Malade d'amour, vous êtes!

La Rédactrice en chef d'*Élodie* vous appelle. Un de ses amis, producteur à la Télévision et dont la femme lit vos chroniques, souhaite vous connaître et vous proposer d'écrire des feuilletons. Elle organise un déjeuner. Le producteur semble sérieux (ce qui n'est pas le cas de tous). La Télévision manque de séries françaises et il cherche quelqu'un pour créer un feuilleton populaire. Trois ans de travail bien payé. À plein temps. Il vous faudra quitter votre job dans la Publicité. Juste garder votre chronique. Vous objectez que vous n'avez jamais fait ce boulot et que vous n'y connaissez rien. Il balaie l'argument de la main : il a totalement confiance en vous. Il est prêt à vous signer un mirobolant contrat, là, tout de suite, sur la nappe du restaurant.

Vous hésitez. Il insiste. Mais, après les trois ans, qu'est-ce que je deviens ? demandez-vous. Il paraît surpris. Vous écrirez une autre série. Parce qu'il est sûr que la première sera un succès. Vous demandez quarante-huit heures de réflexion.

Vous êtes paniquée par la décision que vous devez prendre. Certes, travailler pour la Télévision vous enthousiasme et c'est avec joie que vous quitterez la Publicité que vous détestez.

Mais vous y avez une situation stable.

Avec une fiche de paye qui tombe tous les mois. Sécurisante.

Tandis que si vous le ratez, votre feuilleton, vous risquez de ne plus avoir de boulot. Surtout dans ce milieu où vous ne connaissez personne. De nouveau, à l'idée de vous retrouver sur le pavé et sans argent pour Petite Mère, Mariette et vous, l'angoisse vous panique au point que vous avez envie de vomir.

Vous n'avez même plus le goût de faire l'amour. Alexandre reste interloqué.

153

– Un problème?

Vous êtes si désemparée que vous lui confiez vos craintes.

Il les comprend parfaitement. Fils de petits fermiers auvergnats, il a connu aussi la presque misère, la solitude dans la ville, la hantise du bifteck quotidien, les chaussures trouées (lui, il ressemelait les siennes, tous les soirs, avec du carton). Il a débuté comme coursier.

Il a conquis son job qu'il adore à force d'obstination rageuse, de travail forcené et – il ne le dit pas – de courage. Mais vous savez qu'il prend tous les risques pendant ses reportages.

Oui, il trouve normal que vous ayez peur de quitter la sécurité du salariat pour l'instabilité de la vie d'artiste. Surtout avec un enfant.

D'un autre côté, vous fait-il remarquer, se jeter à corps perdu dans un métier que l'on aime, c'est réussir une grande partie de sa vie. Vous êtes jeune... vous avez du talent (vous êtes si bouleversée que vous ne remarquez même pas l'immense compliment)... à votre place, il sauterait dans l'inconnu.

Vous sautez dans l'inconnu. Les dents serrées. La peur au ventre.

Vous flanquez votre démission à M. Luquet qui n'en revient pas et vous lui arrachez même de ne faire que la moitié de votre préavis.

Dès le début, vous vous passionnez pour votre nouvelle activité. Inventer des histoires, créer des personnages, affûter des dialogues, vous enchante. Quelque chose en vous s'épanouit.

Vous aimez aussi la liberté de vos horaires. Adieu, la terrible Pointeuse. Vous transformez votre salle à manger en bureau. Et vous découvrez les avantages et les désavantages du travail à la maison.

Vous connaissez enfin le bonheur d'être une mère présente quand Pauline rentre de l'école, son cartable de travers dans le dos, son carnet de notes déchiré à la main. Mais il faut qu'elle vous le montre immédiatement et vous dérange sans complexe. Désormais, au moindre prétexte, elle frappe à votre porte pourtant close, méprisant souverainement votre recommandation : « On ne dérange pas Maman quand elle travaille ! »

Il y a pire. Mariette, qui s'est débrouillée pour diriger votre maison pratiquement seule depuis des années, vous interpelle désormais à tue-tête – toujours derrière la porte close – au moindre problème ménager.

– Madame ! Y a plus de sacs pour l'aspirateur !...
– Eh bien, allez en acheter !
– Où ?
– Où vous avez l'habitude...
Elle s'en va, mécontente. Votre inspiration aussi.

– Madame ! Qu'est-ce que je fais pour le déjeuner ?
– Ce que vous voulez ! Je m'en fiche !
Vous l'entendez grommeler dans la cuisine en heurtant bruyamment ses casseroles et cela vous déconcentre.

Autre ombre au tableau. Plus grave. Alexandre, après vous avoir encouragée à vous lancer dans l'écriture d'une série de télévision « grand public », a décidé qu'il s'agissait « d'un truc pour bonnes femmes », indigne de son intérêt. Vous renoncez à lui en parler. Cela vous agace parfois.

155

Un samedi matin. Vous êtes en train de prendre votre petit déjeuner avec Alexandre. Dans son lit. Un de vos moments préférés, comme l'on sait. Sa concierge qui lui sert de femme de ménage et de nounou a déposé, dès l'aube, devant la porte, des croissants frais et deux journaux. Un pour lui, l'autre pour vous depuis qu'elle vous a admise comme compagne de son demi-dieu (vous l'avez corrompue à coup de boîtes de chocolats et d'écharpes de soie peintes à la main).

L'Homme de votre vie aime écouter de la grande musique à son réveil.

Brusquement, sur un fond de concerto pour vibrantes trompettes de Haydn, le nez dans son journal, il dit tranquillement :

– J'ai envie d'avoir un enfant. Tu peux?

Le nez dans votre propre journal, vous restez clouée de stupeur. Par la désinvolture avec laquelle la question a été posée. Vous aviez toujours cru que, dans ce cas, le héros s'agenouillait devant l'héroïne et lui baisait les pieds. Vous aviez attribué vos expériences passées à une fatalité qui ne vous avait pas été favorable.

Le premier saisissement passé, vous avez envie de vous évanouir de bonheur. Avoir un enfant de LUI, vous n'aviez jamais osé en rêver. Même pas y songer depuis cet étrange pressentiment éprouvé lors de votre coup de foudre. Un grand tumulte se lève au fond de votre âme. S'il veut un petit de vous, c'est qu'il vous aime. Attention! Attention, fillette! Il n'a pas dit : « Je veux un enfant de toi. » Il désire un enfant tout court. Un fils probablement. Il commence à avoir l'âge où un homme a envie de se pencher sur un fils. Qu'importe. Si vous le lui donnez, ce fils, le lien entre vous sera éternel. Et n'est-ce pas ce que vous souhaitez si violemment depuis trois ans?

Vous répondez d'un ton aussi calme que le sien (ce n'est pas le moment de tout gâcher en vous révélant une future mère sentimentale) :

– Oui.

– Bon. On y va?

– Non.

– Pourquoi?

– Parce que je ne suis pas divorcée.

– Comment ça? Tu n'es pas divorcée de ton Fils à Papa minable?

Vous notez, au passage, avec ravissement, une certaine jalousie dans la voix d'Alexandre.

– Ben, non!... On a toujours eu la flemme, Jean-Louis et moi, depuis notre séparation, de faire toutes les formalités administratives.

L'Homme de votre vite attrape le téléphone.

– Appelle-le et règle ce problème immédiatement.

– Si cela ne t'ennuie pas, j'aime mieux lui parler tranquillement en tête à tête.

– D'accord mais tout de suite!

Vous réveillez Jean-Louis qui paraît un peu surpris de votre hâte à le voir en urgence absolue.

– Quelque chose qui ne va pas avec notre fille? s'inquiète-t-il.

– Non, non! C'est moi qui ai quelque chose à te demander.

Il accepte de sortir de son lit et de vous retrouver dans vingt minutes dans un café. Où il arrive pas rasé, un manteau sur son pyjama et fou de curiosité. Vous lui expliquez honnêtement la situation. Vous désirez un divorce immédiat pour avoir un deuxième enfant.

– Tu veux un petit bébé!... comme c'est adorable! s'exclame-t-il, enchanté. Je connais le père?

– Je ne crois pas.

– Il est bien, ce type, au moins?

– Oui.

157

– Parce que sinon, hein, je ne divorce pas! Je veux que tu sois heureuse, ma chérie!

Situation peu banale. C'est votre ex qui vous appelle avec affection « ma chérie » alors que votre futur continue à vous traiter cérémonieusement de « Madame ».

– Il y a un problème. Alexandre est très pressé.

Jean-Louis est de plus en plus content. Avoir été tiré de son lit dès l'aube pour apprendre qu'un homme souhaitait faire un enfant de toute urgence à sa femme, voilà une situation qui ravit ce grand fantaisiste.

– Dans ce cas, on peut appeler mon copain Patrice qui est avocat. Il va nous arranger cela en deux coups de cuiller à pot.

Mais Patrice – réveillé à son tour en sursaut et qui vous ouvre en pyjama également – lève les bras au ciel.

– Mes cocos, vous êtes fous! Même si vous êtes d'accord tous les deux, on ne divorce pas comme ça! Du moins, pas encore. Je dois plaider l'adultère, l'abandon du foyer conjugal...

– Mais on ne vit plus ensemble depuis huit ans!

– Cela va nous aider, reconnaît l'avocat. Mais il va falloir faire constater le fait. Demander des témoignages bidon aux copains. Et que toi, Jean-Louis, tu écrives une belle lettre à... heu... ta femme pour lui dire que tu ne veux pas rentrer à la maison ni demain ni jamais. Ajoute quelques injures pour faire bien. Je vais m'efforcer de hâter la procédure mais cela prendra quand même bien un an... et avec le délai de viduité...

– Un an! vous exclamez-vous avec horreur.

Alexandre attendra-t-il un an?

– Non! Trois mois seulement, vous explique-t-il, à votre retour déconfit. Je me suis renseigné, moi aussi. Avec quelques appuis politiques, on peut hâter la

158

procédure. Et supprimer le délai de viduité en faisant faire par ton médecin un test prouvant que tu n'es pas enceinte... Et je vous engrosse, Madame!

Vous jugez inutile de lui révéler que vous avez bien failli ne pas pouvoir divorcer du tout.

En ressortant de chez l'avocat, vous avez entraîné Jean-Louis chez vous pour lui faire rédiger sur-le-champ la belle lettre d'insultes réclamée par la Justice française.

Jean-Louis s'amusait de plus en plus.

– Bon. Qu'est-ce que je mets? « Garce! »... C'est ça « garce »... Ou « saloperie vivante »?... J'ai toujours eu envie de te traiter de « saloperie vivante » mais je n'ai jamais osé. Bon... « Saloperie vivante! Inutile de me supplier de rentrer à la maison! Si je suis parti, il y a huit ans, c'est à cause de ton caractère de mégère et de ta jalousie maladive... »

Son ton vous déplaît. Le soupçon vous vient qu'il parle sérieusement. La moutarde vous monte au nez:

– Comment ça? MON caractère de mégère? MA jalousie maladive? On dirait que c'est de ma faute! Alors que c'est toi, espèce de fumier, qui m'as trompée...

– Ben et toi aussi... avec Alain!

– C'est toi qui as commencé le premier quand même, avec Muriel! Après quoi, tu m'as pratiquement forcée à te réépouser... et tu m'as laissé tomber trois mois plus tard pour Béatrice! On ne peut pas faire pire!

– Si. Quand on s'est remariés, tu n'as pas cessé de pleurer ton Alain. Même si tu le cachais, je le sentais bien. Et ça me rendait malade.

– Ne me raconte pas maintenant que tu m'aimais vraiment. Tu t'es simplement conduit en enfant gâté qui ne supportait pas que sa femme lui échappe...

La scène que vous ne vous êtes pas faite, il y a huit ans, éclate. Vous êtes fous de rage tous les deux. Les vieux reproches ressortent comme des crabes de trous où ils étaient profondément enfouis. Vous vous injuriez. Puis Jean-Louis hurle :

— Puisque tu le prends comme ça, je vais t'emmerder pour ton divorce, tu vas voir ! Tu ne l'auras pas avant d'avoir des cheveux blancs et d'être dans un petit fauteuil roulant...

Vous criez à votre tour :

— Ah ! Tu veux me faire chanter ! Eh bien, moi aussi, je peux te faire chanter !

— Ah ! Ah ! Et comment ?

— En arrêtant de dire à ta fille que tu es le plus chouette père de la terre mais un pauvre raté aigri !

Jean-Louis devient livide. Vous l'avez touché dans ce qu'il aime et aimera toujours le plus au monde : Petite Mère.

— Tu ne ferais pas une saleté pareille ? demande-t-il, la voix cassée.

— Tu sais bien que non ! avouez-vous avec lassitude.

Vous vous regardez. Vous êtes amis de nouveau.

— Qu'est-ce qui nous a pris ? demande Jean-Louis.

— Peut-être que cette fois-ci on a vraiment divorcé ! admettez-vous.

Trois mois plus tard, vous obtenez votre séparation définitive à l'arraché.

— Enfin ! s'exclame Alexandre. Bon. On part à Boroboudour.

— Pourquoi à Boroboudour ?

— Parce que c'est un haut lieu de la civilisation bouddhiste. Tous les enfants devraient être conçus dans de hauts lieux magiques.

Vous ne répondez pas qu'un simple lit est pour vous un haut lieu magique lorsque vous y êtes ensemble. Cet homme a besoin de poésie épique.

– D'accord pour Boroboudour, mais il y a encore un problème à régler.

– Quoi?

– Il va falloir que tu m'épouses.

– Jamais!

Le mot claque comme un coup de fouet et vous déchire la peau du cœur. Vous avez pourtant cru que cet homme vous aimait. Pauvre sotte. Ce n'est pas vous qu'il veut mais votre ventre dont il lui sortira un fils.

Vous vous levez.

– Dans ce cas, adieu! dites-vous, la voix tremblante de chagrin et de colère.

Il se lève aussi. Ses yeux vous fuient. Il a compris qu'il vous a salement blessée.

– Je ne PEUX pas me marier! Tu sais parfaitement que je suis incapable de vivre au quotidien avec une femme! On n'est pas bien comme on est?

– Nous oui. Et je me fous de passer devant monsieur le Maire, si c'est ce que tu crois. Mais les lois sont telles actuellement que si cet enfant naît hors mariage, il sera déclaré naturel, illégitime ou je ne sais quoi. Un petit bâtard...

– Mais c'est formidable d'être un petit bâtard! Un enfant de l'amour! Il y a eu des bâtards très célèbres...

Votre colère explose.

– Tu ne penses qu'à toi, pauvre minable, pas à lui! J'ai déjà une fille. Je veux que mes deux enfants soient à égalité devant la société. Alors, je le refuse ton petit bâtard. Pour lui.

– Je te le ferai quand même, vocifère-t-il, même si je dois te violer!

– Vas-y! hurlez-vous à votre tour. Mais alors ce sera un vrai bâtard. Je le déclarerai de père inconnu et il portera mon nom. Cela fera plaisir à mon père qui n'a pas de fils.

161

Vous vous affrontez du regard comme deux bêtes furieuses.

Terrible quitte ou double. Vous risquez de le perdre à jamais, LUI, cet homme que vous adorez. Mais quelque chose compte encore plus pour vous dans le fond de vos entrailles : un petit enfant qui n'est même pas conçu.

Alexandre s'est mis à marcher comme un fauve à travers la pièce. Il respire bruyamment. Il se décide :

— Bien. Puisque c'est là votre condition, Madame, je m'y résous. Vous serez seulement aimable de me prévenir du jour où je devrais me présenter, enchaîné, à la mairie.

— Écoute, plaidez-vous d'une voix apaisante, je ne désire pas t'enchaîner, ni vivre avec toi à tout prix comme un couple normal. Je sais bien que tu ne peux pas. Et peut-être moi non plus, du reste. Nous continuerons comme maintenant. Toi chez toi. Moi chez moi, avec le bébé. Tu viendras le voir à chaque minute où tu le voudras. Mais je ne veux pas que mon enfant démarre dans la vie avec une étiquette déjà collée sur le front.

Alexandre pose ses mains sur vos épaules.

— Ô femme sage ! ô mère lionne ! Vous avez raison. Je vous épouserai devant le Maire de mon village et je vous ferai danser toute la nuit au son de l'accordéon du facteur.

Il vous prend dans ses bras et vous embrasse doucement, presque timidement. Il est ému. Vous savez qu'il a horreur de laisser paraître la moindre trace de vulnérabilité et qu'il risque de vous le faire payer. Vous vous dégagez gaiement :

— Autre chose...

— Encore !

— Je crois qu'il est temps que je te présente à ma fille.

Il a son merveilleux sourire :

— Quelle adorable nouvelle !

CHAPITRE XII

Un manuscrit raturé.

Vous rentrez de Boroboudour, enceinte une fois de plus.

Votre fécondité habituelle n'a pas faibli. Alexandre exulte.

— Tu es sûre?

— La lapine l'a dit!

— On appellera notre fils Gaspard.

— Et si c'est une fille?

L'Homme paraît surpris. Il n'avait pas envisagé cette éventualité indigne d'un grand mâle comme lui. Mais pourquoi pas? Ça peut être mignon, une petite fille... Alizée, fille du vent? Va pour Alizée.

Pour fêter ce grand événement, il décide de vous emmener exceptionnellement avec lui à Pampelune où il doit faire un reportage sur la *Feria*.

Vous traversez la France en Porsche, accélérateur au plancher, musique à fond. Vous chantez, vous riez, vous criez comme des adolescents.

Vous vous arrêtez à M., petite ville des Pyrénées, pour dormir.

Dans la nuit, de violentes douleurs vous réveillent. Du sang partout. Une ambulance appelée par un concierge mal réveillé vous emporte dans une petite clinique dont on ouvre pour vous la salle d'opération.

Vous vous débattez pour ne pas y aller. Vous sanglo-tez : « Non ! Non ! » On vous endort. Au réveil, les larmes coulent toujours sur vos joues. Une religieuse vous tient la main et tente de vous réconforter. Inu-tile. Vous ne vous consolerez jamais de cet enfant perdu.

Alexandre se tient droit au pied de votre lit, visage fermé mais voix douce.

– Calme-toi ! Je t'en ferai un autre, de bébé.

– Il ne remplacera pas Gaspard.

Alexandre reste impassible.

– Tout est arrangé. Tu vas te reposer ici deux jours et un taxi te conduira samedi à l'aéroport pour rentrer à Paris. Je t'y attendrai.

Vous ne pouvez vous empêcher de gémir :

– Pourquoi ? Tu t'en vas ?

– J'ai un reportage qui m'attend à Pampelune, tu le sais bien.

Vous vous révoltez. Cet homme ne peut pas vous abandonner dans cette clinique inconnue, seule avec votre chagrin.

– Tu peux l'annuler pour une fois, non ?

– Et je servirai à quoi, ici, à tourner en rond dans cette chambre ?

À vous tenir la main. À vous consoler. À vous apai-ser.

Mais la sentimentalité n'est pas dans la nature de l'Homme que vous aimez. Vous le savez. Vous lui en voulez cependant.

Il vous embrasse doucement sur le front et il vous quitte.

Un mélange de rancune et de haine vous empoigne. Salaud. Lâche. Pauvre mec. Vous ne lui donnerez jamais d'autre enfant. Il ne le mérite pas.

Vous vous levez et vous vous traînez à la fenêtre.

L'aube se lève. Sur la place, un cirque est en train de plier bagage. Les forains s'activent silencieusement comme des ombres. Ce spectacle dégage une mélancolie qui s'accorde avec votre tristesse.

Alexandre apparaît et monte dans sa voiture. Puis, dans un geste inattendu de défaite, pose son front sur le volant. Un peu de votre rancune s'envole. En fin de compte, sous son air de dur à cuire, il partage votre chagrin. Vous lui donnerez un autre bébé Gaspard.

Six mois plus tard, vous êtes à nouveau enceinte. D'un petit Balthazar, conçu en haut de la pyramide de Chichen Itzá, haut lieu de la civilisation maya au Yucatán.

Entre-temps, vous avez failli crever.
Et tuer un médecin de la Sécurité sociale.

Le chirurgien pyrénéen de M. avait oublié un pansement dans votre ventre. Une grave infection s'est déclarée. On a dû vous hospitaliser d'urgence et vous mettre sous perfusion d'antibiotique. Vous êtes ressortie de l'hôpital, blanche, fatiguée à mourir et dotée d'une solide méfiance vis-à-vis du corps médical – qui ne vous quittera pas.

Vous ne saurez jamais qui vous a dénoncée. Une convocation de la Sécurité sociale vous parvient, sans explications, pour entretien avec un médecin de cette belle administration.

Un minuscule bureau dans lequel un docteur, gris comme un vieux rat, vous pose des questions auxquelles vous répondez un peu surprise par l'intérêt subit de la Séc. Soc. pour votre santé.

Brusquement, vous comprenez.

Le vieux rat gris cherche à savoir si votre fausse couche à M. n'est pas un avortement provoqué... défendu par la loi... passible de prison...

Un cri de douleur et de rage vous sort du ventre. Vous vous jetez sur le vieux rat gris et vous tentez de l'étrangler. Il se défend tant bien que mal en vous tapant avec ses dossiers. Il bredouille des excuses.

– Vous n'êtes qu'un ignoble charognard! hurlez-vous.

Vous vous enfuyez en larmes.

Vous n'entendrez plus jamais parler de lui ni de contrôle de la Sécurité sociale.

Vous vous inscrivez à un mouvement féministe qui milite pour la liberté de la contraception et de l'avortement.

Votre nouvelle grossesse se révèle difficile. Le gynécologue vous ordonne de rester strictement allongée sous peine de perdre le bébé. Vous l'écoutez tout en commençant d'écrire une nouvelle série pour la Télévision. De ce côté-là, les choses marchent bien. Vous avez acquis une certaine réputation professionnelle. Le travail ne vous manque pas. L'argent, non plus. Le metteur en scène vient collaborer avec vous, au pied de votre lit et comme, par superstition, vous n'avez pas voulu lui révéler votre état, il croit que vous avez un cancer et vous prodigue les affectueuses attentions dues à une mourante.

Désormais, Alexandre est officiellement à moitié installé chez vous. La présentation à Pauline s'est bien passée. Vous avez eu une longue conversation préalable avec elle. Votre ton pompeux l'a beaucoup amusée. L'idée d'avoir un petit frère, enthousiasmée.

166

Elle a reçu le futur père avec la dignité d'une jeune reine recevant l'hommage d'un vassal. D'autant plus que, sur vos conseils, ledit vassal a déposé à ses pieds une poignée de sucres en morceaux, enveloppés dans du papier et piqués dans les bistrots. Elle en fait collection avec passion. Ensuite, Alexandre a construit sous ses yeux émerveillés une pyramide en allumettes. Vous découvrez avec attendrissement que votre Macho est capable de se donner beaucoup plus de mal pour séduire une petite fille qu'un mannequin de Saint-Laurent.

En revanche, ce que vous n'aviez pas prévu, son charme n'agit absolument pas sur Mariette. Elle ne fait aucun commentaire mais vous la soupçonnez de le détester carrément. Ou plutôt, de ne pas supporter l'irruption d'une présence masculine dans votre gynécée. Elle s'était habituée, au cours de votre vie commune, à gouverner votre trio. Vous le père, elle la mère, Pauline, l'enfant. L'intrusion d'un Grand Mâle dans sa caverne la bouleverse. Elle grogne :

— Un nouveau bébé! On va le mettre où? Qui va s'en occuper? Pas moi, tout de même, avec tout ce que j'ai déjà à faire...

Comble, vous n'êtes toujours pas mariée. Vous vivez en con-cu-bi-na-ge. Ce n'est pas encore la mode. Scandalisée, elle brûle moult cierges, pour le salut de votre âme, à l'église de la paroisse où vous n'allez plus.

L'attitude de Mariette, transformée en reproche muet ambulant, vous mine le moral. Vous vous en plaignez à Alexandre. Cela le fait beaucoup rire. Néanmoins, il est d'accord pour que vous retrouviez la paix à votre foyer. Comme il n'est pas question, étant donné votre état de santé, d'aller en Auvergne danser au son de l'accordéon du facteur, il vous transporte, vous et votre gros ventre, à la mairie du quartier où l'affaire est expédiée en un quart d'heure.

Vous avez pris Mariette comme témoin et il a amené Mme Ledoux, sa chère concierge et nounou, qui n'arrête pas de tricoter des brassières d'un jaune hideux pour l'héritier de son héros.

Cette petite cérémonie, qui n'en est pas une, provoque la fureur de votre mère. Elle vous reproche votre peu de cas des usages mondains. Non seulement vous ne l'avez pas invitée, elle et sa capeline, mais vous avez choisi comme témoin votre bonne au lieu de votre oncle qui est quand même ancien ambassadeur de France. Cela aurait été plus chic, non? Vous lui répondez poliment que votre fidèle Mariette compte plus pour vous qu'un oncle gâteux, même ancien ambassadeur de France. Elle vous traite d'anarchiste.

Vous avez retenu une chambre dans une des meilleures maternités de Paris. Parce que, cette fois, comme vous vous l'étiez juré, vous allez avoir un accouchement de riche.

La nuit même prévue par le gynécologue, les contractions bien connues vous réveillent. Vous secouez le futur papa.

– On y va!

Mal réveillé, il demande, un peu grognon :

– Où ça?

– À la clinique, idiot! Pas à Pétaouchnock!

Et le fier Alexandre, grand reporter devant l'Éternel, qui a couru les pires aventures dans le monde entier, perd les pédales. Son pantalon a disparu (c'est sûrement le bébé, déjà farceur, qui le lui a pris). Il ne retrouve plus la petite valise de vos affaires de toilette (je l'ai encore vue hier, derrière le fauteuil!). Il n'arrive pas à faire démarrer sa voiture (nom de Dieu! elle a été vérifiée ce matin même : je vais tuer ce garagiste!).

168

Bref, sa panique est telle que vous jugez plus prudent d'appeler un taxi car les contractions se rapprochent dangereusement. Chauffeur! Vite! Vite! À la clinique! Je vais avoir mon bébé...

– Ah non! Pas dans mon taxi! hurle le chauffeur à son tour affolé, je ne supporterai pas...!

On se demande vraiment comment ces pauvres hommes se comporteraient si c'était eux qui devaient accoucher à la place des femmes.

Votre véhicule fonce jusqu'à la maternité plus vite que si Fangio était au volant. Courbée en deux, vous sonnez à la porte. Qui s'ouvre.

Vous poussez un hurlement de terreur.

Un fantôme est apparu dans l'entrée obscure.

Ce n'est pas Lady Macbeth mais une infirmière sénégalaise toute noire dans son uniforme blanc.

– Ayez pas peu', pauv' Madame, le docteu', il vous attend..

... Avec un verre de champagne à la main ainsi que toute sa joyeuse équipe. En train de fêter des quadruplés. Vous avez à peine le temps de gagner la salle de travail...

... Balthazar est là.

Le Papa, arrivé dans un deuxième taxi, n'a pas eu le temps d'assister à la naissance de son fils. Du reste, il n'en avait pas l'intention. L'enfantement et ses embêtements sont, pour lui, affaires de femme.

Ce point soulèvera plus tard d'interminables discussions avec Petite Mère quand elle mettra bas à son tour. À votre grand étonnement, elle tient, elle, farouchement, à la présence de son mari non seulement à l'accouchement mais à tous les examens préalables chez le gynéco. Aux cris de : « La naissance d'un enfant se vit entièrement à deux » et de : « L'homme doit supporter aussi les embêtements d'une grossesse. »

Vous objectez que traîner un bonhomme terrorisé

chez le médecin représente un embêtement encore plus grand. Et que le spectacle final ne met pas en valeur la beauté féminine : visage convulsé de douleur, cris de bête, cheveux collés de sueur, serments pathétiques : « Jamais plus, je n'aurai d'enfants » (jusqu'au prochain), engueulades de la sage-femme, susurrements exaspérants de l'infirmière préposée à l'accouchement sans douleur (!) : « Inspirez... expirez... », alors que vous ne savez même plus qui vous êtes !

Quand vous lui racontez ça, Pauline rigole. Avec la péridurale, les chéries restent désormais souriantes et bien coiffées. L'arrivée du bébé ressemble à un ballet de Béjart sous les yeux du Père qui bat des mains. Ah bon ! quelle chance elles ont, nos filles !

En attendant ces temps bénis, Alexandre constate que son fils est superbe, doté de tous ses doigts de main et de pied, et surtout, s'exclame-t-il, d'un superbe petit sexe mâle (qui vous apparaît à vous comme une grosse limace violette). Puis, le Père s'effondre, assommé par la fatigue et l'émotion, sur le carrelage de votre chambre. Vous n'êtes pas surprise. Vous savez que c'est une habitude chez les papas et les Noirs d'Afrique qui se couchent dans leur case tandis que leurs femmes, à peine délivrées, retournent aux champs.

Une semaine plus tard, Balthazar dans les bras, vous rentrez chez vous où vous attendent des fleurs dans toutes les pièces.

Et un cadeau posé sur votre lit.

Vous aviez, avec douceur, expliqué à Alexandre qu'il était de tradition pour un père d'offrir un présent à sa femme, pour célébrer la naissance de leur enfant. En général, une bague. Avec un beau diamant, par exemple... (sans crapaud, si possible!).

L'Homme de votre vie s'était récrié : une bague! Lui, offrir une bague? Jamais! Il n'en supporte ni la vue ni l'idée (il vous empêche, du reste, de porter celles de Jean-Louis).

Il a pourtant posé un écrin sur votre oreiller. Votre cœur fait un bond. Votre Macho s'est-il laissé attendrir par votre frivolité féminine?

Non.

Vous trouvez dans la boîte la Légion d'Honneur d'un Maréchal d'Empire. Décoration authentique. Achetée très cher chez un antiquaire.

– Pour récompenser mon petit grognard, explique votre Napoléon, enchanté de son idée.

Vous regardez l'honorable objet comme une poule une poêle Tefal. Qu'allez-vous en faire? Vous vous voyez mal vous promener dans les grands cocktails parisiens avec la Légion d'Honneur d'un Maréchal d'Empire épinglée sur le sein gauche. Sans compter que le port illégal de décorations est passible de prison. Vous n'osez imaginer votre arrestation au milieu d'une réception de la Gaumont.

Vous finissez par la faire encadrer et l'accrocher au mur en face de votre lit.

Au grand ébahissement de Nanny.

Nanny est la nurse suisse diplômée qu'Alexandre a engagée pour s'occuper de son fils pendant les premiers mois de son existence. Vous avez commencé par jeter de hauts cris. Vous vous êtes très bien débrouillée avec Mariette pour élever Petite Mère. Une nurse suisse diplômée va coûter la peau des fesses. Elle coûte. Alexandre s'entête. Il gagne assez d'argent pour offrir ce luxe à son héritier et à vous. Car vous êtes très fatiguée et vous devez à tout prix terminer votre série de télévision. Et puis l'Homme se méfie de Mariette qui ne l'aime pas et ne soignera

171

peut-être pas son fils avec la passion qu'elle témoigne à Pauline. Balthazar risque d'en être traumatisé pour la vie si l'on en croit Freud et les travaux du docteur Lorentz sur les oies.

Du reste, Nanny est si petite qu'on ne la verra pas, qu'on ne l'entendra pas.

Erreur totale. La créature mesure en effet 1,50 mètre de haut mais également de large. Elle se présente sous l'aspect d'une boule qui roule joyeusement en tous sens dans votre appartement, dans un bruit d'enfer. Car Nanny est douée d'une voix tonitruante et elle jacasse sans arrêt.

Vous travaillez désormais avec des boules Quiès.

Toujours vêtue d'un impeccable uniforme de nurse bleu marine sur lequel elle enfile à la maison une blouse blanche rayée bleu pâle, un petit chignon de cheveux blancs serré strictement sur le haut de son crâne, elle a élevé quantité d'enfants de la haute société dont elle cite les noms avec orgueil : le fils du marquis de P., les jumelles du prince arabe Abdul ben Abdul, le dernier né du ministre Machintruc, etc. Elle vous a demandé le mercredi comme jour de sortie pour faire la tournée de SES ex-enfants (certains sont devenus polytechniciens) avec des paquets de bonbons. Elle lit avec passion la revue *Points de vue, Images du Monde* pour se tenir au courant des naissances royales et autres.

Elle a beaucoup hésité avant d'entrer chez vous. Votre standing social lui semblait indigne de ses services. Elle s'est consolée en vous désignant comme « ses artistes ». Surtout depuis qu'elle a vu vos feuilletons à la télévision. Mais vous pardonne difficilement l'absence de maître d'hôtel. Et sursaute douloureusement à chaque fois que Mariette dépose, avec sa brusquerie paysanne, le pot-au-feu, vlan, au milieu de la table. Car, bien entendu, Nanny prend ses repas avec vous et a tendance, hélas, à monopoliser la

172

conversation. Si vous avez des invités, elle déjeune seule sur un plateau dans sa chambre mais en aucun cas à la cuisine... « avec la domestique ».

Mariette la hait.

Et se venge en lui interdisant l'accès de sa gazinière à l'heure sacrée de la soupe de légumes de Balthazar. Dispute hystérique des deux femmes qui foncent se plaindre dans votre bureau. Vous êtes obligée de diviser en toute hâte votre cuisine en deux – par une cloison de verre – pour que chacune ait son petit domaine.

Plus snob que Nanny n'existe pas.

Balthazar ne saurait fréquenter que des nouveau-nés de la meilleure compagnie. Elle roule son landau (le plus beau modèle de Bonnichon qu'elle a choisi elle-même) tous les après-midi jusqu'au bois de Boulogne, à la vitesse incroyable de ses papattes, le chapeau bleu marine enfoncé sur ses oreilles, pour y retrouver d'autres Nannies et potiner avec elles sur leurs luxueux bébés respectifs et leurs célèbres parents (sauf vous).

Un jour, elle vous raconte même avec fierté qu'une petite fille apercevant un nouveau-né pas impeccablement vêtu s'était exclamée avec dédain : « Tiens ! Un enfant de mère... »

Vos relations sont ambiguës. Lorsque vous prenez Balthazar dans vos bras, son expression inquiète vous laisse comprendre que vous n'êtes qu'une gourde qui va laisser tomber Son Bébé à la première occasion. Elle a tenté de s'opposer à ce que vous l'allaitiez, prétextant qu'un biberon de Nanny était plus sûr qu'un douteux lait maternel. Elle a reculé devant l'indignation du pédiatre qu'elle a tendance à traiter comme un jeune étudiant en médecine moins compétent qu'elle. Ce qui est peut-être vrai. Mais elle vous a prévenue : responsable en chef de la santé de Balthazar, elle l'emmènera passer un mois l'hiver en montagne, au palace de Villars-sur-Ollon – Suisse – où elle a ses habitudes et terrorise le Chef chargé de la fameuse soupe de légumes de Son Bébé (les Rothschild attendront pendant ce temps-là leur mixed grill). En été, vous devez louer une somptueuse villa à Arcachon (et pas dans les environs de Porto-Vecchio que vous adorez : elle n'a aucune confiance, en cas d'urgence, dans les hôpitaux corses) où vous transportez toutes les affaires de l'Héritier. Du lit en toile à la baignoire pliante. Votre break Peugeot est tellement chargé qu'une fois les gendarmes vous arrêteront, s'inquiétant d'un tel déménagement.

Vous lui pardonnez ce luxe effarant et son encombrante présence parce qu'elle s'occupe avec un dévouement total et joyeux de votre fils.

Et qu'elle adore Petite Mère.

Vous soulageant ainsi d'une grosse inquiétude. Comment allait réagir votre fille aînée à l'intrusion d'un frère la détrônant de son règne absolu sur votre royaume ?

Grâce à Nanny, les choses semblent bien se passer. Pauline passe le plus clair de son temps dans la nursery à tartiner les fesses de Balthazar d'épaisses couches de crème jaune et à brosser inlassablement les poils hirsutes qu'il a sur la tête.

Le drame éclate.

Mariette, folle de jalousie, vous rend son tablier.

Vous avez beau la supplier à genoux de rester, têtue comme une Bretonne, elle vous répond inlassablement : « Madame, j'ai élevé Pauline comme ma fille et maintenant, elle me répond. C'est la faute à la Suissesse... » Vous plaidez l'ingratitude bien connue des enfants, la solide affection qui vous lie, Mariette et vous, après ces années parfois si dures vécues ensemble, le fait que Nanny n'est qu'un oiseau de passage dans votre vie, elle tient bon. Alexandre, de son côté, s'oppose farouchement au renvoi de la nurse de son fils. Mariette reprend le train pour la Bretagne, ulcérée. Vous en éprouvez un vrai chagrin.

Vous la remplacez par Carmen, une Espagnole accompagnée de son petit garçon de cinq ans qui sera élevé avec vos enfants (c'est-à-dire qu'il courra lui aussi en hurlant à travers l'appartement). Nanny se charge immédiatement de diriger la tribu d'une main de fer.

Chez vous grouille désormais un monde fou qui jacasse, crie, pleure, rit, s'embrasse, aboie (Rocky est toujours là).

Vous faites insonoriser votre bureau.

Quand il ne travaille pas – chez lui – ou qu'il n'est pas parti en reportage, l'Homme de votre vie passe le plus clair de son temps chez vous. Majestueux comme un pacha dans son harem, il regarde son fils avec une extase à votre avis proche du gâtisme, joue avec Petite Mère et Luisito, tape sur les fesses de Nanny qui en rougit de plaisir (elle est complètement tombée sous son charme), complimente Carmen pour sa paella, etc.

Bref, lui aussi semble heureux.

Naturellement, il ne vous le dit pas. Ce serait un aveu trop grave pour ce misanthrope.

Mais il prend une immense décision.

Changer de métier.

Il est las de sauter dans des avions pour courir aux quatre coins du monde. D'y voir les mêmes guerres, d'y trouver la même violence, d'y constater la même pauvreté, d'y rencontrer les mêmes hommes politiques pourris.

Il donne sa démission de grand reporter et entre comme Directeur d'une collection de livres sur les

175

Grands Dossiers du Temps, chez un éditeur ami. Il compte en écrire lui-même certains.

Un problème inattendu surgit alors.

Alexandre ne peut travailler que dans le silence de la nuit.

Vous, dans l'allégresse de l'aube.

Il se couche quand vous vous levez.

Après avoir comparé vos horaires et essayé plusieurs solutions, vous finissez par établir le compromis suivant :

... Alexandre viendra visiter son harem de 7 heures à 9 heures du soir, pour y dîner avec les enfants et vous. Ensuite, il rentrera chez lui se mettre à sa machine à écrire.

... Vous, vous vous couchez à 10 heures pour vous lever à 5 le lendemain matin et vous installer devant votre propre Olivetti. Alexandre s'endort à ce moment-là.

... À midi, vous vous glissez chez votre amant et mari pour profiter de l'intimité de son réveil. Vous déjeunez ensuite chacun de votre côté qui avec des amis, qui avec des relations professionnelles. Fidèle à votre promesse, vous ne lui posez jamais de questions. Et vice versa.

... Le week-end est consacré aux enfants et aux joies familiales. Alexandre arrive chez vous avec sa petite valise de linge sale. Il a une brosse à dents à lui dans votre salle de bains. Et RÉCIPROQUEMENT. On mesurera le chemin parcouru dans vos relations.

Mieux. Il a fait poser une ligne téléphonique entre vos deux appartements (éloignés de trois cents mètres) dont le numéro secret est réservé à vous seuls et qui vous permet de vous parler à chaque instant.

Vous êtes en train de réaliser enfin tant bien que mal le rêve de vos seize ans. Un homme avec qui vous vivez une vie certes étrange mais passionnée, des enfants, un travail. Le bonheur, quoi. Si tranquille

176

que les années filent sans que vous vous en rendiez
compte.

Mais les dieux sont jaloux.

Un jour, vous avez la malencontreuse idée d'accepter d'écrire un roman.

Vous éprouvez une certaine lassitude de créer à
longueur d'années des feuilletons que tout le monde
refait derrière votre dos. Les producteurs pour que
cela soit moins cher. Les metteurs en scène parce
qu'ils se prennent pour des auteurs méconnus. Les
acteurs parce qu'ils prétendent connaître les personnages mieux que vous.

Aussi, quand H. un grand éditeur, vous jure qu'il
ne cherchera pas à modifier une seule ligne de votre
texte, vous craquez. D'ailleurs, vous avez un sujet.
On est en pleine bataille féministe et vous voulez
raconter, sur fond d'érotisme torride, vos dramatiques amours calabraises.

Par un hasard inouï (qui n'en est pas un, vous le
découvrirez plus tard), Alexandre décide de se lancer, lui aussi, dans un roman. Chez le même éditeur.

Sur l'Indochine. Et Maï.

Votre jalousie espagnole se réveille instantané-
ment.

Pourtant, curieusement, elle s'était laissé endormir
pendant toutes ces années. Malgré l'indépendance
qui est la règle dans votre couple, vous n'avez jamais
craint sérieusement qu'Alexandre puisse vous tromper. Ou alors une nuit, pour se prouver qu'il est toujours le grand séducteur Alexandre V.? Mais rien
dans son attitude ne vous a jamais laissé entrevoir
pareille trahison. Vous avez beau savoir que
l'Homme est par nature menteur comme un arra-

cheur de dents et que cette tranquillité est peut-être trompeuse, vous n'arrivez pas à vous inquiéter.

Vous, de votre côté, vous ne songez même pas à regarder un autre mâle et vous restez étonnée si l'un d'eux entreprend de vous faire la cour. Il vous semble qu'il clignote au néon sur votre front : « propriété d'Alexandre ».

Et voilà que l'ombre de Maï resurgit. Vous croyiez pourtant l'avoir effacée avec votre amour fou. N'êtes-vous pas la compagne d'Alexandre depuis des années, la mère de son fils, la maîtresse dont il aime toujours les caresses ?

Mais est-ce de la vraie Maï dont il va parler ? Vous savez bien, vous, qu'un écrivain ne raconte jamais la vérité. Il ne peut s'empêcher de recréer ses personnages, d'inventer des situations, d'embellir ses dialogues.

N'est-ce pas ce que vous êtes en train de faire avec Arturo, le Calabrais ? Dont vous ne parlez pas à Alexandre. Pas plus qu'il ne vous fait de confidences sur son propre roman.

L'Éditeur, à la lecture de votre manuscrit, paraît content. Il vous fait même entrevoir qu'il le juge assez bon pour obtenir un grand prix littéraire.

Par une nouvelle coïncidence (qui n'en est toujours pas une) le livre d'Alexandre sort pratiquement en même temps que le vôtre. Vous échangez cérémonieusement vos premiers exemplaires. Vous êtes inquiète de son jugement si dur pour les ouvrages de « bonnes femmes » qui encombrent, prétend-il, la littérature française. Vous avez surtout peur de ne pas avoir assez bien dissimulé les élans de votre petit cœur de midinette. Vous savez qu'il vous le reprochera.

Vous passez la nuit à dévorer son bouquin à lui. Maï est restée une ombre qui passe, légère, au milieu de fiers guerriers. Vous avez vaincu son souvenir. La paix revient en vous.

Le lendemain, comme tous les soirs, Alexandre s'encadre dans la porte du salon où vous l'attendez, étendue sur le canapé dans une robe d'intérieur arabe, et lisant le journal. Vous tenez ironiquement à cette mise en scène de harem. Elle enchante Alexandre qui s'écrie rituellement en entrant :

– Ah ! Ma femme est à sa place !

Mais ce soir, l'Homme de votre vie a le visage noir, convulsé par une fureur folle. La terreur vous empoigne. Il n'aime pas votre roman !

Non. Il ne l'aime pas.

Mais alors, pas du tout.

D'un geste inattendu et théâtral, il jette la clef de votre appartement à travers la pièce.

– Madame, vous êtes une salope ! Je ne remettrai plus jamais les pieds chez vous !

– Mais qu'est-ce que j'ai fait ? bégayez-vous, terrifiée.

– ... un livre porno !

– Tu es fou !

– Non, je ne suis pas fou ! Je ne supporterai jamais que la mère de mon fils écrive des cochonneries qu'il lira peut-être un jour. Adieu !

Il claque violemment la porte et rentre chez lui.

Vous restez là, sur votre divan, dans votre robe arabe, frappée par la foudre. Est-ce la jalousie qui l'a rendu dingue ? Ou un accès brutal d'une pudeur que l'intimité amoureuse ne vous avait jamais fait soupçonner.

Il faut vous expliquer. Invoquer l'imagination de l'écrivain qu'il connaît pourtant. Le convaincre d'en rire avec vous.

Son téléphone est décroché, y compris votre ligne privée.

Vous courez chez lui.

Son appartement est fermé par le verrou intérieur. Perdant tout amour-propre, vous tambourinez à sa porte et le suppliez à voix haute de vous laisser entrer.

Il ne répond pas.

Des heures, des jours, des semaines passent.

Sans un appel, sans une lettre, sans un simple signe.

Il ne vient même pas voir son fils.

Ce que vous aviez tellement redouté, il y a des années, et que vous aviez fini par oublier, est arrivé : il vous a quittée.

Vous allez vous traîner au pied de son meilleur ami pour qu'il plaide votre cause. Alexandre vous fait répondre qu'il n'a plus rien à vous dire. Son avocat prendra contact avec le vôtre pour toutes les questions concernant Balthazar.

Le pire est que votre livre a du succès. Beaucoup de critiques sont louangeuses et, hélas, mettent l'accent sur les passages érotiques. Ah! si vous pouviez les arracher, ces malheureuses pages! Trop tard. Les ventes marchent. L'Éditeur se frotte les mains. Votre nom figure sur la liste des candidats au Grand Prix littéraire de la saison.

Bombe : celui d'Alexandre aussi.

L'Éditeur démasque alors sa fourberie en révélant aux journalistes que les deux concurrents publiés chez lui sont mari et femme dans la vie. Tilt chez les médias. Vous êtes interviewée à tour de bras :

— Qu'est-ce que cela fait à une romancière d'être en concurrence avec son propre mari?

— Je souhaite qu'il gagne!

L'écrivain en vous ne le pense pas tout à fait. L'écrivain en vous a des sursauts de vanité. Mais la femme traverserait l'enfer, à genoux, pour retrouver l'Homme de sa vie.

À la même question, Alexandre répond froidement :

— Je n'ai plus rien à voir avec cette dame.

180

Les journalistes flairent la bagarre et titrent carrément leurs articles : « La course au Grand Prix littéraire de la saison brisera-t-elle un couple? » Histoire d'envenimer les choses, si c'est possible.

Vous obtenez le Prix.

Vous êtes effondrée. Alexandre ne vous le pardonnera jamais. Ne reviendra jamais. Vous ne supporterez jamais cet abandon. Vous songez à vous enfuir dans le désert. À vous pendre sur le pont Alexandre-III. Vous vous enfouissez dans votre lit pour ne plus vous relever. L'Éditeur – le cœur impitoyable et les yeux fixés sur ses ventes – vient vous en sortir d'une poigne de fer et vous traîne dans tout Paris, hagarde, les yeux gonflés de larmes, les cheveux pas coiffés, enfermée dans votre chagrin. Les journalistes se mettent à soupçonner que votre livre érotique a été écrit par un nègre.

Une nuit, vous vous couchez carrément sur le paillasson de l'Homme de votre vie. Vous allez mourir là, comme un vieux chien malade. Au petit matin, Mme Ledoux, la concierge, vous prend en pitié et mange la consigne.

Alexandre a quitté Paris. Pour une destination inconnue.

Même votre Éditeur – que vous menacez d'arrêter vos séances de signatures – l'ignore. Ni quand il reviendra. S'il revient.

Vous remuez ciel et terre pour savoir où il se cache. Vous lancez le Réseau des Filles sur sa trace.

Alexandre a accepté de repartir faire un grand reportage...

... en Afghanistan...

... où la guerre bat son plein. Les dernières nouvelles reçues venaient du Pakistan. On pense qu'il a réussi à franchir en fraude la frontière interdite et à rejoindre à pied, à travers les montagnes, les combattants moudjahidin. Depuis, plus de signe de vie. Peut-être est-il mort sous un bombardement soviétique? Peut-être a-t-il sauté sur une mine?

Vous vous écroulez.

Dépression. Vous tombez dans le trou noir. Sentiment de panique jusqu'à la nausée. Le moindre geste vous réclame une énergie effrayante qui vous manque souvent. Vous partez à des rendez-vous où, une fois arrivée, vous faites demi-tour. Vous vous révélez parfois incapable de traverser une rue. Votre souffrance est telle que, par moments, vous craignez de ne pas avoir la force de l'endurer une minute de plus. Tentation du suicide.

Psys.

Le premier que vous consultez déclare que votre détresse provient de votre jalousie à l'égard de vos petites sœurs pendant votre adolescence. Vous quittez cet âne pompeux au profit d'un autre qui vous conseille une psychanalyse de sept ans à raison de trois séances par semaine. Vous n'en avez ni le temps ni l'envie. Le troisième retient pour vous une chambre dans une de ces cliniques chères à votre mère. Vous n'y allez pas. Vous préférez vous bourrer de médicaments avec un quatrième à qui vous n'avouez pas que vous buvez déjà trop d'alcool. Vous passez des journées, hébétée, avec l'impression de vous mouvoir dans un théâtre d'ombres. Dans un sursaut, vous supprimez l'alcool. Le traitement commence à vous faire du bien. Vous vous remettez lentement à travailler et offrez à nouveau aux enfants une vague présence maternelle.

Au bout de quatre mois, Alexandre rentre sain et sauf d'Afghanistan.

Il ne téléphone ni à vous ni à son fils.

Une rage folle vous emporte comme une lame de fond.

Qu'il vous quitte, vous savez que vous en resterez brisée à jamais, mais, après tout, vous êtes une adulte qui avez choisi votre sort. En revanche, qu'il abandonne son fils, vos tripes maternelles ne le supportent pas.

Vous écrivez dix brouillons d'une lettre d'insultes jusqu'à ce que celle-ci soit d'une méchanceté absolue. Il va en pleurer des larmes de sang, le Grand Salaud! Vous découvrez que, dans vos gènes, l'art féminin de trouver le mot qui fait vraiment mal s'est transmis. Encore, merci Maman!

Vous allez vous-même glisser votre chef-d'œuvre de cruauté sous sa porte.

Une heure plus tard, on sonne à la vôtre.

Vous allez ouvrir.

Alexandre est sur le palier.

Vous le regardez avec haine.

Il a l'air vieilli et fatigué.

Silence terrible.

— Pardon, Madame! murmure-t-il enfin, je suis un vrai con!

Les griffes de fer qui vous broyaient le cœur se desserrent.

— Oui! Tu es un vrai con! soupirez-vous.

Et vous le faites rentrer.

La guerre est finie.

Provisoirement.

TROISIÈME PARTIE

L'INVENTAIRE

La CNAVTS a raison, qui vous amène à faire votre petit inventaire personnel. Qui êtes-vous? Qu'êtes-vous devenue? Vous avez toujours admiré ceux qui déclarent: «Moi, je me connais à fond...» Vous, vous restez, hélas, un profond mystère pour vous-même. Certains jours, vous vous trouvez absolument épatante! D'autres, complètement minable! Vous vous sentez comme installée sur le toit d'une locomotive qui foncerait dans le brouillard et dont vous ignorez le fonctionnement. Tout ce que vous savez, c'est que vous avez parcouru un drôle de chemin.

À cinquante-neuf ans, qu'avez-vous dans vos bagages?

CHAPITRE XIII

Le brave compagnon de la première heure : votre corps.

Vous devez l'admettre honnêtement : il commence à s'user.

C'est arrivé si insidieusement que vous ne vous en êtes pas aperçu. Au début.

Premier signe, léger, léger : les lunettes.

Vous avez remarqué un beau matin que vous aviez du mal à déchiffrer les petites notes au bas de vos contrats d'assurances (celles qu'on ne lit jamais et grâce auxquelles les AGT réussissent à ne pas vous rembourser un sou même si votre maison brûle). Monsieur M., célèbre opticien, vous a alors vendu d'adorables bésicles en demi-lune qui ornaient votre bouille ronde d'une façon très marrante.

Vint le jour où le Président de la République vous apparut flou à la télévision. Consternation. Monsieur M. vous propose un nouveau truc épatant : des verres avec lesquels vous pouvez voir à la fois de près et de loin, avec une monture très élégante portée par Sophia Loren elle-même. Il vous la met sur le nez (la monture, pas Sophia Loren). Mais comme vous ne portez pas encore les fameux verres, vous ne voyez pas la gueule que vous avez avec. Vous vous en plaignez à Monsieur M. Il s'en fiche. Vous n'êtes pas une star, vous. Il se contente de jurer que vous êtes divine. Enchantée, vous lui faites confiance. Vous avez tort. Ce modèle, tellement à la mode, est en plastique transparent. Invisible. Quand vous enlevez vos binocles, pour prendre votre bain par exemple, et que vous les posez n'importe où (car non seulement vous êtes miro mais distraite), vous mettez un temps fou à les retrouver. Normal. Comment retrouver des lunettes sans lunettes? Vous passez votre temps à crier : « Où sont mes lunettes? » Un jour, l'Homme a levé ses propres yeux lunettés et répondu calmement : « Sur ton nez! »

Depuis, vous les portez accrochées à votre cou avec une chaîne solide et elles sont devenues une partie de vous-même comme votre bras droit ou votre pied gauche.

Mais pas de quoi s'inquiéter vraiment, non? Après tout, quantité de gens voient mal sans être vieux pour autant. Vous n'avez donc pas vu le danger.

Est apparu le mal de dos. Mais qui n'a pas mal au dos à une époque où tout le monde travaille assis et mal assis? Vous aviez toujours confiance dans la santé de fer de votre brave compagnon, qui vous avait fait surnommer « le bulldozer ».

Vous avez voulu ignorer qu'il commençait à fatiguer...

... jusqu'au jour où vous vous êtes aperçue que lui et vous, étiez entourés d'une bande de médecins chargés de son entretien et de ses réparations comme des garagistes affairés autour d'une chère bagnole ancienne.

Pour être plus exacte, pas une équipe de médecins, mais une meute de Spécialistes qui vous soignent en pièces détachées.

Chacun sait que la race des médecins de famille a

disparu. Avec les dinosaures. Celle des généralistes, pratiquement aussi. Il ne reste plus que quelques spécimens qui ne se dérangent même pas si vous avez le choléra, vous font poireauter trois heures avec 40 °C de fièvre dans leur salle d'attente et branchent leur saleté de répondeur dès que la nuit tombe. Ils sont remplacés en cas d'urgence par les gentils inconnus de SOS Médecins qui, lorsqu'ils ont constaté que vous n'étiez pas digne du SAMU, vous font une ordonnance distraite en babillant sur les tableaux de votre fils. Pour éviter leurs critiques d'art parfois affligeantes, vous évitez d'avoir la grippe en vous faisant vacciner dès le début de l'automne.

Pour tout le reste, vous consultez ces Grands Prêtres du Temple médical : les Spécialistes.

Mais attention ! Trouver un bon Spécialiste n'est pas chose aisée.

Les Professeurs vous réclament carrément deux mois de délai avant de vous donner un rendez-vous. Si vous pleurnichez au téléphone que c'est urgent (Vous avez MAL !!!) l'infirmière peut se laisser fléchir : « Venez alors immédiatement. J'ai une patiente suisse dont l'avion a du retard. » Vous laissez tout tomber, y compris votre déjeuner avec le Président d'Antenne 2, au cri de « ma santé, avant tout ! »... vous galopez chez le Professeur... et vous passez l'après-midi entier dans une salle d'attente qui n'a jamais autant mérité son nom.

Vous avez pu noter qu'il existe plusieurs sortes de salles d'attente.

La classe 1, décorée de meubles anciens d'époque avec des gravures XVIIIe mélangées curieusement à des tableaux modernes – que vous soupçonnez achetés au noir avec l'argent des clientes qui payent en espèces –, souvent un piano et un stock de revues récentes impeccables.

La classe 2, bourrée également de meubles anciens

mais faux et de tous styles, avec des revues que vous avez déjà lues.

La classe 3, comportant d'affreux canapés mous (soldés aux puces?) particulièrement chez les Rhumatologues qui vous recommandent de toujours vous asseoir sur des sièges durs, une table ronde provenant d'Ikéa, des fauteuils en rotin de chez Habitat et des revues déchirées. Éventuellement, punaisées au mur, des affiches sinistres sur le Sida.

Votre premier Spécialiste, celui qui prend le relais du pédiatre et vous accompagne depuis votre adolescence : le Gynécologue.

Il existe toutes sortes de Gynécologues. Le sadique qui vous enfonce avec brutalité son spéculum en acier dans le sexe. Celui qui vous pince cruellement les seins à la recherche d'un nodule cancéreux ou, au contraire, profite de cet examen pour vous peloter les mamelons. Celui qui ne s'intéresse à vous que lorsque vous êtes enceinte. Celui qui vous répond tranquillement lorsque vous vous plaignez des embêtements de la ménopause : « Bah! C'est la nature... »

Mais il y a pire.

L'obsédé de l'opération.

Vous en avez rencontré un, Grand Professeur, Membre du Conseil de l'Ordre, chez qui vous aviez couru avec de violents maux de ventre et une fièvre carabinée.

– Ah! Ah! marmonna l'Hippocrate d'un air inquiet.

Et il vous pria d'entrer sur-le-champ dans sa clinique... trop chère pour vous! Un instant décontenancée par vos problèmes financiers, il vous pria de foncer vous mettre dans votre propre lit. Un de ses assistants passerait tous les matins vous faire une « injection intramusculaire » (traduire bêtement « piqûre douloureuse »). De quoi? Vous n'osez même pas le demander.

Il vous fait comprendre au passage qu'il ne daigne s'occuper de vous que parce qu'il joue au bridge avec votre ex-belle-mère, (la mère de Jean-Louis).

Une semaine plus tard, la situation n'avait pas évolué.

Vous vous levez de votre couche, et, telle l'ombre de Lazare, retournez le voir, véhiculée par votre chère cousine Isaure. Le Grand Professeur vous réexamine.

– Ah! Ah! fait-il, de plus en plus sinistre. Je ne vois plus qu'une solution : vous opérer.

– M'opérer de quoi?

– Eh bien! Vous enlever l'utérus.

– Mais alors... je ne pourrai plus jamais avoir d'enfants?

– Non, évidemment.

Un cri vous sort des tripes.

– Jamais! Je veux encore avoir des enfants. Plutôt crever.

– Comme vous voulez! laisse tomber, hautain et indifférent, le Grand Professeur.

Vous ressortez en larmes de son cabinet. Votre chère cousine Isaure, devant votre désespoir, prend une décision : elle vous emmène directement chez son propre vieux gynéco qui vous reçoit entre deux accouchements, une calotte blanche sur la tête. Il vous réexamine.

– Qui vous soigne?

– Le Professeur B.

Il a un bon sourire.

– Ah! Ah! Cela m'ennuie de contredire mon éminent confrère mais je crains que vous n'ayez qu'une simple infection urinaire.

Cinq jours plus tard, vous êtes guérie.

Le Professeur B. est mort maintenant mais pas votre rancune. Vous espérez qu'il mijote en enfer.

Votre nouveau gynécologue devient votre ami.

C'est lui qui vous accouchera de Balthazar. Son seul défaut : adorer plaisanter longuement avec vous pendant que vous êtes sur la table d'examen, toute nue, cuisses écartées, pieds coincés dans les étrivières, l'affreux spéculum planté au plus intime de votre corps. Un jour, vous lui avez fait remarquer que votre position n'était pas épatante pour rire à ses blagues. Il parut très surpris. Il n'envisageait guère ses patientes dans une autre situation. Hélas, il mourut une nuit au milieu d'un accouchement (les gynécologues meurent aussi), vous laissant triste et désemparée. Où retrouver un successeur digne de lui ? Vous interrogez la Ligue des Gonzesses et le clan de vos six sœurs. Et découvrez à cette occasion que l'adresse d'un bon gynéco est comme celle d'un bon bistrot. On la garde farouchement pour soi afin d'éviter d'y retrouver trop de monde à la prochaine visite et d'attendre deux mois un rendez-vous.

Vous avez fini par en choisir un jeune (pour être sûre de mourir avant lui), très chaleureux, bien que vous le soupçonniez de vous préférer les futures mères et d'être un maniaque de la mammographie.

Vous détestez les mammographies.

Vous devez vous morfondre une bonne heure dans la salle d'attente (classe 3) d'un cabinet de radiologie situé à l'autre bout de Paris – alors qu'il y en a un très bien au coin de votre rue. Elle est bourrée de femmes énervées. Une infirmière pressée crie enfin votre nom comme à l'armée et vous enferme à toute allure dans un placard minuscule, en vous priant de « vous dénuder le haut ». Et d'enlever votre chaîne et votre médaille. Avec vos ongles ras, vous n'y arrivez pas. L'infirmière rouvre la porte et de plus en plus pressée et mécontente, vous les arrache elle-même.

Puis vous colle contre la table du mammographe...

... empoigne à pleines mains votre sein gauche et de toutes ses forces, floc, l'aplatit sur une plaque de verre glacée sur laquelle elle en fait prestement retomber une autre. Voilà votre sein gauche écrasé comme une langue de bœuf entre deux plaques de verre. Cela vous flanque un complexe. Où est passée l'arrogante poitrine de vos jeunes années ? Même opération pour le sein droit. L'infirmière s'enfuit avec les radios. Vous rentrez dans votre placard remettre vos pauvres langues de bœuf dans votre soutien-gorge. À toute vitesse car une autre dame tambourine déjà à la porte. Vous retournez dans la salle d'attente toujours bondée et vous passez l'heure suivante à essayer de remettre votre chaîne et votre médaille. On crie de nouveau votre nom. Vous sursautez. Ce n'est qu'un jeune médecin qui vous tend vos radios en grommelant : « Aucune trace suspecte. »

C'est déjà ça.

Vous n'avez pas de Spécialiste en Rhumatologie. Vous en avez plusieurs.

D'abord un Professeur, mondialement connu, Spécialiste de la Colonne Vertébrale. Qui vous manipule les vertèbres cervicales avec une énergie terrifiante : crac, crac, crac, (vous mourez de peur qu'il ne rate son coup et vous brise la nuque). En cas de vulgaire sciatique, il vous envoie à son assistante, Spécialiste des Infiltrations dans les Vertèbres Lombaires. Crouch ! Que je t'enfonce une aiguille entre la L5 et la S1. Mais vous devez reconnaître que cette charmante femme-docteur (elles ont horreur, paraît-il, qu'on les appelle « doctoresse »), aux longs cheveux blonds jusqu'à la taille, a une main de fée.

Naturellement, à elle non plus, vous n'avez jamais osé demander quel liquide elle introduisait dans votre colonne vertébrale. « De la cortisone, crie en chœur la Ligue des Gonzesses, c'est très mauvais : tu vas gonfler comme le pauvre Président Pompidou ». Cette idée vous tracasse un peu. Mais vous préférez trotter comme un lapin même avec un museau bouffi que de rester étendue dans votre lit sans pouvoir bouger la patte.

Votre délicieuse Spécialiste des Infiltrations Lombaires vous a également prescrit de porter un lombostat quand vous tapez à la machine plusieurs heures de suite ou quand vous voyagez. Vous avez un succès fou aux aéroports où une sonnerie stridente retentit lorsque vous passez sous le portique détecteur d'armes. Tous les douaniers se jettent sur vous comme si vous étiez une terroriste trimballant un lance-roquettes dans sa petite culotte.

Vous murmurez d'un ton douloureux :

– Je porte un corset de fer.

Les gabelous hochent alors la tête avec compassion. Et, à votre grande surprise, ne vérifient jamais. Cela vous agace. Vous avez donc tellement l'air d'une brave Mamie trop vieille pour transporter un lance-roquettes dans sa petite culotte ?

Votre Spécialiste des Infiltrations Lombaires ne soigne pas les épaules.

Vous avez donc dû vous rendre chez un autre Rhumatologue, Spécialiste de l'Épaule Gauche, pour vous plaindre de violentes douleurs quand vous levez le bras pour vous habiller et vous déshabiller.

– Ah! Ah! marmotte le Spécialiste en Rhumatismes de l'Épaule Gauche, vous allez me faire immédiatement une arthroscopie à Bagnolet.

Pourquoi à Bagnolet ? Vous n'avez jamais entendu dire que cette charmante banlieue de la région parisienne (vous ne savez même pas où elle se trouve) était spécialisée dans les arthroscopies. Pourquoi, une fois de plus, ne pouvez-vous pas vous rendre tout simplement au coin de votre rue où se trouve un Institut « d'Imagerie médicale » très connu et où, vous avez cru le comprendre, même des habitants de Bagnolet se font soigner ?

Le Rhumatologue Spécialiste de l'Épaule Gauche repousse vos arguments d'un geste de la main. Vous devez aller à Bagnolet parce que son confrère, le Docteur X, qu'il connaît personnellement et dans lequel il a toute confiance, y fait des arthroscopies...

... dans les sous-sols verdâtres d'une clinique sinistre.

Alexandre vous y conduit lui-même en voiture. Mais refuse d'y entrer. Il vous attendra devant la porte. Il est contre « la médecine pourrie des ânes pompeux que sont les hypocrites Hippocrates modernes! »... et toc! Pas encourageant.

– Ah! Ah! marmonne à son tour le Spécialiste en Arthroscopie de l'Épaule Gauche, je lis dans votre dossier que vous êtes allergique à la *Xylocaïne*...

– Heu... je crois! murmurez-vous, honteuse.

En fait, vous découvrirez plus tard, trop tard, que vous ne l'êtes pas. C'est le Professeur Spécialiste de la Colonne Vertébrale qui, un jour, vous a fait lui-même – et mal : ce n'est pas sa spécialité – une infiltration. Vous avez eu un malaise. Il a décidé que vous étiez allergique à la *Xylocaïne*... un anesthésiant de la douleur.

– Ah! Ah! dit sombrement le Spécialiste en Arthroscopie de l'Épaule Gauche à Bagnolet, dans ce cas, je vais vous faire une arthroscopie gazeuse.

Et hop! Il enfonce une énorme seringue d'air dans votre épaule potelée qui se met à gonfler comme un ballon de foot. Et à gargouiller.

Vous poussez un hurlement de douleur et de peur :

– Qu'est-ce qui fait ce bruit?

– Rien! Rien! Juste l'air qui se promène dans votre épaule.

Au secours! Vous avez parfaitement lu dans de nombreux romans policiers qu'on pouvait assassiner quelqu'un, ni vu ni connu, en lui insufflant de l'air dans une veine! Et si ce crétin allait vous tuer, là, à Bagnolet?

Votre bourreau vous annonce alors froidement qu'à l'aide d'une deuxième énorme seringue et en s'aidant d'un écran vidéo, il va vous injecter de la cortisone dans l'articulation de l'épaule gauche. Toujours sans *Xylocaïne*... Vous allez avoir un peu mal... Mais dans quinze jours, vous ne souffrirez plus. Épatant, non ? En attendant, il rate son coup, pique sur votre os et la douleur est telle que vous manquez tomber dans les pommes.

– Je sais ! Ce n'est pas agréable, remarque alors tranquillement le monstre, mais ne vous inquiétez pas... vous avez une simple chondrocalcinose (prononcer dix fois de suite à toute allure). Et ce sera probablement inutile de vous opérer.

Comment ça, opérer ? Il n'en a jamais été question ! Et opérer de quoi, d'abord ? Ces fous sont capables de vous couper le bras !

Vous vous enfuyez de Bagnolet.

Vous n'y remettrez jamais les pieds.

Vous faites même le détour plutôt que de le traverser.

Quant à vos élancements dans l'épaule gauche (qui a gargouillé pendant une semaine), vous avez décidé de « faire avec », comme disait Mariette avec son gros bon sens paysan.

Une nouvelle douleur très vive apparaît sous votre pied droit quand vous marchez. La peste soit de ces rhumatismes. Vous vous rendez – en boitant – chez un Rhumatologue, Spécialiste du Pied Droit.

– Ah ! Ah ! prononce-t-il gravement... arthrose aggravée... Vous allez me faire une radio de chaque pied et je vous prescrirai des semelles spéciales. Il faudra demander une entente préalable à la Sécurité sociale.

Des paperasseries maintenant.

198

– Je ne vois rien... mais alors, vraiment rien! énonce le Radiologue perplexe.

Vous rentrez chez vous, toujours boitant et démoralisée. Maintenant, vous avez des trucs qui ne se voient pas à la radio! A-t-on des cancers sous les pieds?

Tout à coup, une idée s'agite dans le fond de votre cerveau. Vous vous précipitez sur vos chères vieilles boots dans lesquelles vous trottez depuis des années (ce sont les seules qui ne vous font pas mal aux pieds).

Il est là!

Le gros trou dans votre semelle droite!

Vous faites ressemeler l'intérieur de vos boots et votre « arthrose aggravée » disparaît.

Votre Cardiologue (salle d'attente classe 1) a un air sinistre qui vous fait peur. On vous a assuré que c'était un très bon Spécialiste mais il est peu causant. Il vous fait en silence des électrocardiogrammes pour lesquels il vous demande très cher et ne vous donne pas de feuille de la Sécurité sociale. Vous n'osez pas la lui réclamer depuis que vous avez appris qu'il a failli mourir lui-même d'un infarctus, il y a peu de temps, et qu'il a dû subir un double pontage. Si les médecins ne savent pas se soigner eux-mêmes, où va-t-on?

À votre dernière visite annuelle, vous vous êtes enhardie. Vous aviez remarqué qu'il n'était jamais à son cabinet le matin (peut-être à l'hôpital mais lequel?) ni la nuit (probablement chez lui, à regarder la télévision).

– Si j'ai... heu... un petit accident cardiaque, où puis-je vous joindre?

– En cas d'accident cardiaque, vous appelez immédiatement le Samu ou les Pompiers, réplique-t-il, placidement.

Ah bon! Dans ce cas, pourquoi ne pas faire faire directement vos électrocardiogrammes par les Pompiers de votre quartier? Ce serait plus amusant et sûrement moins cher.

Vous consultez aussi une fois par an – toujours dans le cadre : « entretien-de-votre-cher-vieux-compagnon » – une ravissante Gastro-Entérologue (salle d'attente classe 3). Elle vous accueille avec un sourire ravi. Malheureusement, elle n'est pas contente de vos intestins. Elle suggère que vous en fassiez couper un bout « pour votre confort ». Vous refusez énergiquement. Vous avez trop lu dans la presse le récit des bavures des chirurgiens capables de vous enlever un poumon à la place de la vésicule biliaire, et des anesthésistes qui s'amusent à intervertir les tuyaux pour se faire des farces. Vous attendrez d'être à l'article de la mort pour livrer votre corps à ces dingues.

— Bon! Bon! Nous attendrons! dit gaiement votre Gastro-Entérologue.

Et elle vous flanque une ordonnance de deux pages.

Aïe!

Voilà le drame de consulter des Spécialistes! Chacun y va de sa prescription et ne supporte pas les médicaments filés par les copains.

— Comment? le Docteur Z vous donne tout ça? Mais vous êtes une véritable usine chimique! Faites-moi le plaisir de jeter ces cochonneries à la poubelle!

Au début, vous n'en avez pas cru vos oreilles. Vous étiez persuadée que les médecins formaient une secte secrète, unie comme celle des Grands Prêtres du Sanhédrin. Faux. Ils n'hésitent pas à se dénigrer les uns les autres.

— Cela fait vingt ans qu'on ne pratique plus ce genre d'examen!

– Je ne connais pas ce médicament ! C'est un type de province qui vous a donné ça ?

– Comment ? Il exerce toujours, celui-là ?...

L'Acupuncteur a même refusé de vous piquer plus longtemps si vous continuiez à prendre les anti-inflammatoires du Rhumatologue.

Mais si les Spécialistes ne se témoignent aucune sympathie entre eux, ils éprouvent en commun une véritable détestation pour le Psy (et ses petites pilules bleues).

On a vu que, dans des moments de dépression, vous vous êtes adressée à ces Spécialistes du Mal-Être. Vous en avez retiré la conclusion que la plupart d'entre eux étaient raide fous. Vous avez ajouté à votre collection le Psy freudien qui refuse de vous adresser la parole pendant une heure sauf pour vous murmurer : « C'est 500 francs. » L'obsédé qui s'intéresse exclusivement à votre constipation infantile, dont, à sa grande indignation, vous ne vous rappelez rien. Le faux cul qui lit son carnet de rendez-vous en douce alors que vous êtes en train de gémir qu'un crabe vous dévore l'estomac tous les soirs à 5 heures. Sans oublier l'aigri qui déteste tous ses patients (plus courant qu'on ne croit), en particulier les femmes et surtout vous. Il vous jette des regards haineux et vous parle d'un ton sec. Vous ressortez de chez lui plus malade qu'en entrant.

Vous n'oubliez pas le dragueur qui vous a pris sur ses genoux (vous étiez plus jeune) pour vous peloter et calmer vos sanglots mais a froidement étendu son mouchoir sur son épaule pour que vous ne tachiez pas sa veste avec votre rouge à lèvres. Il devait être poursuivi par une épouse jalouse. Du coup, vos larmes se sont transformées en fou rire et vous avez dû vous sauver sous ses insultes.

À noter que les Grands Psys ont souvent deux salles d'attente pour éviter que leurs patients ne s'aperçoivent entre eux, la dépression étant encore trop souvent considérée pis qu'une maladie honteuse. Vous ne l'avez pas cru jusqu'au jour où vous avez croisé chez un Lacanien un écrivain célèbre qui a pâli en vous voyant. Depuis il vous fuit aux cocktails de votre éditeur. Quant au Psy lacanien, s'il avait bien deux salles d'attente (classe 1 – passionnantes revues américaines), elles étaient remplies de tableaux et de livres dédicacés. Ainsi tout le monde savait que le Professeur soignait tout le monde...

Vous avez mis des années à trouver Psy Bien-aimé.

Vous l'adorez.

Vous déposez en vrac sur son bureau toutes vos angoisses, tous vos soucis, toutes vos vilaines pensées. Il vous écoute passionnément – comme si vous étiez la seule au monde à vous plaindre alors qu'il reçoit douze malades par jour –, vous appelle « ma petite fille » et même (ô douceur extrême) « ma pauvre petite fille ». Et vous renvoie chez vous, soulagée, légère, gaie comme une fauvette.

Psy Bien-aimé avait un petit défaut : une mauvaise digestion. Qui le faisait bâiller après le déjeuner et même fermer les yeux comme un poulet qui va s'endormir. Vous lui avez enjoint de se faire soigner. Il a suivi votre conseil et vous a rendu son oreille attentive dont vous avez tant besoin.

Il a, hélas, une autre imperfection : le même âge que vous!

Vous n'osez pas envisager ce que vous deviendriez si la CNAVTS le décidait à prendre sa retraite.

Réunir une telle équipe de Spécialistes pour soigner et entretenir votre vieux compagnon vous a coûté énormément de consultations – très chères – avec beaucoup de médecins exerçant toutes sortes de pratiques étranges.

Vous avez ainsi essayé, outre l'acupuncture, la mésothérapie (vous a fait gonfler la cuisse), l'auriculothérapie (l'aiguille plantée dans votre oreille est tombée), la magnétothérapie (vous n'avez jamais pu vous débrouiller avec vos deux plaques aimantées, rien n'indiquant le côté + et le côté –), l'homéopathie (qui vous a rendue malade : il paraît que vous êtes un cas), la phytothérapie (aucun résultat sinon de courir tout le temps faire pipi, pardon Mme Rika Zaraï), la thalassothérapie (vous êtes rentrée beaucoup plus fatiguée que si vous aviez traversé les Cévennes à pied), l'oligothérapie (un cauchemar : vous avez dû acheter un agenda spécial pour noter jour après jour, heure après heure, les différentes petites ampoules et granulés à prendre sans relâche. Vous avez fini par abandonner, excédée).

Etc.

Vous avez même consulté un rebouteux dans un village de campagne. Pour une entorse. Il a chuchoté des prières, barbouillé votre pauvre cheville de sa salive dégoûtante – avec son gros pouce sale – et vous a renvoyée chez vous avec la promesse que le lendemain vous pourriez gambader comme une chevrette. Aucune guérison miraculeuse ne s'étant manifestée dans la nuit, c'est à l'hôpital que vous avez galopé où l'on vous a bêtement radiographiée et plâtrée.

Grâce à tout ce petit monde (sans oublier les dentistes, les pharmaciens, les kinés) vous espérez garder votre brave vieux compagnon en bonne santé pendant encore quelques années. Pouvez-vous escompter dix ans ?... quinze ans ?... qui sait, peut-être même vingt... ?

C'est un Devoir.

Social d'abord. Phénomène archiconnu : le monde moderne a horreur de la vieillesse, de la faiblesse, de la maladie. L'âge est considéré comme le plus abominable des fléaux. Juste après le Sida. On vous pardonne d'être fatiguée, à vingt ans. Pas à soixante. Ne jamais avouer un rhumatisme. Cela fait « carte vermeille ». Prétendre : « J'ai attrapé un lumbago en jouant à la pelote basque. » Ne prononcer sous aucun prétexte le mot « cœur ». Annoncer : « Je dois faire un plan-cardio : je suis trop speedy. » Quant aux déprimes, à cacher absolument. Être séropositive vous vaudrait plus de sympathie. Baptiser tout simplement vos antidépresseurs : cure de vitamines.

C'est aussi un devoir familial.

Vos proches ne supportent pas que vous soyez malade.

Si vous voulez déstabiliser l'Homme, vous n'avez qu'à vous coucher. Il se dandine au pied de votre lit, le front plissé d'inquiétude.

— Qu'est-ce que tu as?

— Rien! Rien!... Une petite angine!

Alexandre vient tâter votre front :

— Tu as de la fièvre?

— Oui. Mais j'ai pris de l'aspirine.

L'Homme est mécontent. Il déteste les médicaments « modernes » (vous prenez les vôtres en cachette) et en tient pour la saignée et le clystère.

Silence. Alexandre vous regarde comme un lièvre affolé qui a trouvé un Robot Marie en plein champ.

— Moi aussi, je ne me sens pas bien! annonce-t-il enfin.

Et il vous révèle qu'il souffre de son estomac qui brûle, de ses oreilles qui bourdonnent, de ses jambes qui s'alourdissent, de ses blessures de guerre qui se réveillent, etc.

Quand il en a terminé, c'est lui, le malade.

Il va se coucher à son tour.

Vous vous levez pour le soigner.

Quant à vos enfants, c'est pire. Pour eux, vous

204

continuez d'être « le bulldozer ». Si vous avez le malheur de tomber en panne, ils paniquent. Balthazar veut vous emporter immédiatement sur sa moto aux Urgences de l'Hôpital Américain. Pauline vous amène ses trois petits pour que vous les bénissiez avant de mourir.

À noter que vous avez de la chance : en Amérique, les gens vieux ont tellement honte qu'ils se parquent eux-mêmes dans des villes où leurs enfants et petits-enfants viennent à peine les voir. Vous préférez vous flinguer plutôt que de vivre dans un pareil exil.

Aussi, vous vous êtes bien gardée d'avertir votre famille qu'un nouveau mal était en train de vous frapper.

Vous avez la mémoire qui flanche.

Au début, vous n'avez pas fait attention. Vous avez toujours été dans la lune. Il vous est arrivé d'oublier Petite Mère à l'école (elle vous le reproche encore). De ne pas reconnaître dans la rue une dame chez qui vous aviez dîné la semaine précédente (elle ne vous a jamais réinvitée). Ou de confondre la bouchère avec la styliste d'Alain Delon. (Désormais vous mangez de la viande dure et Alain Delon ne vous prend plus au téléphone.)

Mais de votre activité passée de secrétaire, vous avez gardé la saine habitude de faire des listes des « choses urgentes à NE PAS OUBLIER ». Hélas, depuis quelque temps, vous OUBLIEZ où vous avez mis la liste des « choses urgentes à NE PAS OUBLIER ». Vous la retrouvez six mois plus tard. Quelquefois dans des endroits incroyables comme la valise des affaires d'hiver ou dans le Larousse médical à la page Bubon pesteux.

Inutile de le nier : votre état s'aggrave.

Il vous arrive de quitter votre bureau d'un pas pressé pour vous rendre dans la cuisine. Et là, impossible de vous rappeler ce que vous aviez de si urgent à y faire. Vous restez plantée comme une idiote devant votre frigo, la tête vide comme une bulle de savon. Vous devez retourner dans votre bureau, essayer de remonter le fil de vos pensées et... ouf! ça vous revient : il vous faut aller mettre les pommes de terre à cuire pour le déjeuner.

En attendant de trouver un Spécialiste pour la Mémoire, vous vous bourrez de chocolat, souverain, paraît-il dans votre cas. Grâce au magnésium.

Le magnésium ne vous fait aucun effet. Le chocolat, oui.

Vous prenez encore des kilos supplémentaires.

Drame. Si l'époque vous veut jeune-jeune-jeune jusqu'à la mort, elle vous veut aussi mince-mince-mince. Malheur aux grosses! Toutes les publicités, toutes les photos de mannequins dans vos chers magazines féminins, tous les films vous le répètent. Du reste, il n'existe même pas de vêtements au-dessus de la taille 42 dans les boutiques de mode. Il vous faut courir dans des magasins spécialisés au diable vauvert ou sur les marchés de province.

C'est depuis longtemps un de vos lourds soucis. Vous avez perdu votre taille de jeune fille. Vous avez pourtant essayé tous les régimes de l'enfer : ne pas manger ce que vous aimez... manger ce que vous n'aimez pas... ne rien manger du tout (vous avez parfois réussi à perdre cinq cents grammes, repris rien qu'en regardant la vitrine d'un pâtissier)... vous avez même été jeûner pendant dix jours entiers (parfaitement, jeûner comme le Christ dans le désert. On vous a donné un diplôme) dans une célèbre clinique en Espagne (très coûteuse : moins on mange, plus c'est cher!). Vous avez fondu de quatre kilos. Vous les avez récupérés grâce à quelques déjeuners d'affaires où vous n'avez pas pu résister au gratin dauphinois – tandis que la productrice, en face de vous, commandait une salade avec vinaigrette SANS HUILE!

206

Vous auriez mieux fait de vous offrir, à la place de la clinique, un manteau de zibeline pour cacher vos rondeurs.

– Fais du sport! conseillent en chœur vos copines – qui n'en font pas.

Quel sport? Du tennis? Vous avez un rhumatisme à l'épaule gauche. Vous ne voulez pas réveiller celui de l'épaule droite. Piscine? Vous soupçonnez les autres nageurs de faire pipi en douce dans votre eau. Pouah! La marche à pied? À Paris? Avec toutes ces boutiques où vous ne pouvez vous empêcher d'entrer, d'acheter... Vous dépassez le quota de votre Carte Bleue qui ressort « refusée » au magasin suivant. On vous regarde comme une voleuse. On vous demande vos papiers d'identité quand vous proposez de payer par chèque. La honte!

La gym? Comme Jane Fonda avec son agaçant sourire triomphant. Vous avez essayé avec plein de dadames obèses et essoufflées. Cela vous a foutu le blues. Vous vous êtes entêtée quand même. Avec un Hindou, professeur de yoga, qui venait dérouler sa colonne vertébrale de serpent sur votre moquette en psalmodiant des « Rhaâââââââ... Rhaâââââââ... ». Vous vous êtes révélée incapable de tenir en équilibre sur la tête (le poids de votre ventre rondelet et de vos bonnes fesses vous entraînant tantôt en arrière, tantôt en avant). Le Sri vous a abandonnée, écœuré.

Alors, vous avez craqué! Adieu, régime! (sauf la sucrette dans le café pour compenser l'éclair au chocolat du dessert. Et le lait à zéro pour cent de matière grasse dans le bol de céréales aux fruits secs, délicieux mais hautement caloriques).

Vous avez dissimulé votre petit bidon de femme enceinte de six mois sous d'immenses chandails d'homme. Porté des pantalons à la taille élastique. Sauté les pages Mode de vos chers magazines féminins avec les adorables tailleurs à fleurs moulants de

Christian Lacroix. Et prétendu que votre double menton vous donnait un air de petite fille.

Vous avez vécu grosse et joyeuse.

Fini! Cette lettre de la CNAVTS agit sur vous comme un électrochoc. Il est temps pour vous de maigrir et de rajeunir.

De combien?

Vous retournez une fois de plus vous examiner LUCIDEMENT dans la glace à trois faces.

Quel âge faites-vous à cinquante-neuf ans?

Toujours aucun.

Menteuse! Vous avez maintenant, outre une brioche de vieux colonial, deux bajoues grassouillettes, des pattes d'oie, quelques rides de plus (mais pas trop : les grosses à bouille ronde ont cette chance), des fleurs de cimetière supplémentaires sur les mains, beaucoup de mèches blanches dans les cheveux...

Vous prenez la résolution de le faire vraiment, cette fois-ci...

... Le Lifting Complet.

Vous prenez immédiatement rendez-vous chez les deux meilleurs chirurgiens esthétiques de Paris (d'après la Ligue des Gonzesses). Vous évitez celui qui a raboté les seins d'une copine qui les trouvait trop gros. Les cicatrices ont pété comme des coutures mal surfilées. Elle doit faire l'amour dans le noir.

Accueil luxueux. Professeurs affables. Photos sous tous les angles prises par infirmières de classe.

Le premier chirurgien vous annonce qu'il vous opérera sous anesthésie générale (hop! une piqûre et vous vous réveillez avec quinze ans de moins). Le second refuse l'anesthésie générale, toujours risquée, prétend-il (allons bon! vos peurs se réveillent), au

208

profit de l'anesthésie locale (à la perspective de VOIR le scalpel s'enfoncer dans votre chair et la peau de votre visage se décoller comme un gant de toilette mouillé, vous en avez des frissons de terreur).

Curieusement, les deux sommités vous posent la même question.

– Que fait votre mari?

Vous le leur dites, candidement.

– Malheureuse! s'exclame plus tard votre copine Clara, ils ont immédiatement augmenté leurs honoraires d'une brique. Il fallait répondre qu'il était cadre au chômage.

C'est vrai que l'opération coûte une fortune. Le prix d'un de vos rêves : vagabonder trois mois toute seule dans les îles du Pacifique avec votre petite machine à écrire, deux paréos et sans la Bible. Vous hésitez. D'autant plus que vous avez remarqué que certaines actrices n'ont plus le même visage après une telle opération au point qu'on hésite parfois à les reconnaître (vous ne donnerez pas de nom).

Vous décidez de provoquer un Conseil de Famille au déjeuner du dimanche.

À votre stupéfaction, une émeute éclate.

– On t'interdit de te faire tripoter le visage, crie Pauline, pour que tu ressembles ensuite à une momie au sourire en cul de poule.

– Moi, j'aime ta bonne vieille gueule comme elle est, grommelle l'Homme de votre vie (ce qui, dans sa bouche, ressemble à un merveilleux compliment).

– Bon alors, est-ce que vous êtes au moins d'accord pour que je me fasse lipo-sucer le bidon? pleurnichez-vous.

– Tu es folle! C'est pas un truc au point, glapit votre fille aînée. Au lieu d'un mignon petit ventre tout rond et lisse, tu auras une montagne de creux et de bosses avec de la peau qui pendra. Berk!

– Moi, j'aime Mamie parce qu'elle est grosse!

209

déclara votre second petit-fils. Les grosses Mamies sont plus marrantes que les maigres. Tous mes copains le disent à l'école.

Il ajouta qu'il était prêt à vous épouser telle quelle. Ronde, propre et sentant bon le parfum (depuis, vous vous ruinez en Diorissimo).

– Laissez-moi au moins me teindre les cheveux en blond platine! suppliez-vous.

– Non! gronda Balthazar, qui n'avait encore rien dit. Ras-le-bol des balayages jaune queue de vache de ton coiffeur. Tes mèches blanches ont beaucoup plus de chic!

Alors, vous avez pris l'une des plus importantes décisions de votre vie.

Non seulement, vous allez garder votre gueule de cinquante-neuf ans mais, envers et contre tout, vous allez vieillir avec la figure et le corps que la nature vous donnera. Poussant tranquillement devant vous votre bidon dodu. Souriante au-dessus de votre double puis triple menton. À l'aise dans vos chandails pour hommes et vos tuniques pour Suédoises géantes. Sans angoisse à l'apparition de nouvelles rides. Sans crainte d'arborer une chevelure de neige.

EN PAIX.

Devez-vous en avertir la CNAVTS et la Sécurité sociale?

CHAPITRE XIV

Un homme.

À la stupéfaction générale et à la vôtre en particulier, Alexandre est toujours là. Au bout de trente ans.

TRENTE ANS!

TRENTE ANS que vous partagez une drôle de vie à la fois commune et séparée. Où vous continuez à parler inlassablement ensemble, à rire ensemble, à faire l'amour ensemble, à vous disputer ensemble. Vous avez ensemble élevé deux enfants. Et pris des habitudes ensemble dont vous appréciez la douceur bien que les habitudes aient mauvaise réputation dans les rapports entre hommes et femmes. Elles signifient routine. Pour vous, paix. Enfin presque.

Mais Alexandre ne vous a toujours pas dit qu'il vous aimait.

Vous, oui. Une fois. Il a grogné comme un ours dérangé.

Une nuit, cependant, il a failli avouer.

– Je vous aime... bien, Madame! a-t-il murmuré. Et consterné de cet accès de faiblesse, il a vite ajouté :

– ... malgré votre tête de mule!

Ses cheveux bouclés sont désormais d'un blanc de neige. Vous le trouvez encore plus beau.

211

Pendant trente ans, vous ne l'avez jamais trompé. Vous n'avez même pas regardé un autre homme. À quoi bon? Vous savez qu'il est et qu'il restera l'Homme de votre vie.

Ce qui ne vous empêche pas de continuer à vous plaindre à Peter, fidèle au poste.

– J'en ai marre de ce type! Jamais un mot tendre! Alors que si je voulais, hein... je pourrais encore séduire un autre bonhomme... parfaitement!

– Fais-le, ma grande, rigole Peter.

Vous n'en avez pas envie.

Une fois, cependant, un metteur en scène imprudent, vous voyant toujours seule, a entrepris de vous faire la cour. Longs coups de téléphone. Déjeuners au Fouquet's. Compliments, etc. Vous trouviez cela cyniquement délicieux.

Jusqu'au jour où Alexandre, sous prétexte de discuter d'un livre que ledit réalisateur pourrait adapter pour le cinéma, l'invita à passer le voir à son bureau. Vous avez ignoré, à l'époque, ce que les deux hommes se dirent. Non seulement votre charmant metteur en scène ne fit pas le film mais il disparut brusquement de votre horizon.

Vous apprendrez des années plus tard, en le rencontrant par hasard, qu'Alexandre lui avait calmement promis de lui casser la gueule s'il continuait à s'intéresser à vous.

Mais lui, l'Homme de votre vie, vous a-t-il trahie? Parfois vous vous posez la question. Distraitement. Vos méchantes langues de copines prétendent qu'il n'existe pas de mâle ne trompant pas sa femme en trente ans. Ou peut-être l'Archevêque de Canterbury. Et encore. Pourtant, aucun signe n'a jamais réveillé votre jalousie espagnole.

Ah si! Une fois.

Une voix féminine et jeune a répondu chez lui, au téléphone, sur votre ligne réservée. Vous avez immé-

212

diatement raccroché. Et vous vous êtes roulée sur la moquette en poussant des cris rauques.

Le soir, quand Alexandre est arrivé chez vous d'un air tranquille comme d'habitude (ces hommes, quels putois sournois!), il a trouvé une furie.

Vous lui faites une scène atroce.

Le monstre a osé installer une pute chez lui. À une rue de chez vous. Et qui répond sur votre propre ligne téléphonique.

Votre rage est telle que vous songez à lui casser votre lampe de faïence italienne sur la tête. La crainte qu'il vous rende vos coups vous retient.

Alexandre se met à gueuler à son tour. Vous n'êtes qu'une emmerdeuse et une idiote par-dessus le marché. La voix appartient à une jeune secrétaire venue faire du classement dans ses papiers.

Vous piaillez que le coup de la secrétaire, vous connaissez. Le misérable ment, c'est évident.

– Pauvre conne! gronde alors le tendre Amour de votre vie.

– Salaud! Salaud! Fous le camp! hurlez-vous.

– ... au plaisir de ne jamais vous revoir, Madame!

Il claque la porte. Et rentre chez lui.

Quinze jours se passent. Aucune nouvelle d'Hitler.

... le jour de votre fête. Un somptueux buisson d'azalées qui ne rentre pas dans l'ascenseur vous est apporté par un fleuriste haletant et mécontent d'avoir dû monter cet énorme arbuste dans ses bras.

Aucune carte n'accompagne le prodigieux bosquet.

Vous savez bien que c'est LUI.

Vous décidez de feindre de l'ignorer et votre amertume est telle que vous refusez même de regarder et d'arroser les pauvres fleurs qui se meurent tristement, exilées dans un couloir obscur.

Trois semaines plus tard, Alexandre vous écrit

pour vous reprocher votre manque d'éducation. Quand on reçoit un parterre d'azalées très beau, très cher, on a la politesse de remercier.

Vous vous jetez immédiatement sur votre feutre japonais et vous répondez :

1° que vous ne vous doutiez pas une seule seconde de l'origine de ces quelques fleurs, arrivées sans carte. Vous avez remercié dix autres admirateurs;

2° que vous détestez les azalées;

3° que vous ne voulez plus rien à voir avec un homme assez vulgaire pour faire allusion au prix des bouquets qu'il envoie. Puisque cet affreux pot d'azalées a tellement pesé sur son budget, vous ne voulez pas en priver l'Autre – celle qui répond au téléphone chez lui – et vous le lui renvoyez.

Vous convoquez une société de fret par camionnette et vous faites livrer votre missive, accrochée au squelette du malheureux arbuste desséché, au bureau du Grand Salaud, chez son éditeur (où vous escomptez bien un petit scandale).

Le soir même, on sonne à la porte.

Vous regardez par l'œilleton avant d'ouvrir.

C'est Alexandre qui tient quelque chose caché dans son dos.

Un calibre 38 pour vous abattre?

Vous saisissez votre parapluie (vous ne mourrez pas sans vous défendre) et vous ouvrez courageusement la porte.

Alexandre vous tend alors une énorme boîte de caviar.

– Tiens, bougresse de mule! murmure-t-il, tendrement.

– Rat d'égout! susurrez-vous, avec amour.

– On fait la paix?

– On fait la paix.

Et vous le laissez entrer, le cœur empli de bonheur. Entre-temps, vous aviez fait une enquête serrée auprès de sa concierge, la chère Mme Ledoux, qui vous avait confirmé que la jeune secrétaire était bien une jeune secrétaire venue travailler quelques après-midi en l'absence d'Alexandre. Elle ne reparut jamais.

Et votre « vie conjugale » reprit paisiblement son cours.

Vous continuez à assister au Réveil du Roy et à son petit déjeuner, chez lui. Il vient tous les soirs dîner chez vous, à 7 heures. Vous refusez tout rendez-vous pour l'attendre sur votre canapé, dans votre djellabah en soie, en faisant mine de lire le journal. En fait, vous écoutez, le cœur battant, le bruit de sa clef dans la serrure et son pas dans l'entrée.

Il s'arrête sur le seuil de la porte du salon et, vous vous regardez.

Vous l'adorez.

Il semble content que vous soyez là. Il prononce la phrase rituelle :

— Ah! Ma femme est à sa place.

Puis il se jette dans son fauteuil, attrape avidement votre journal qu'il se met à feuilleter en demandant :

— Qu'est-ce que tu racontes, ce soir?

Certains jours où vous êtes de mauvaise humeur (si! si! ça arrive!) vous grommelez :

— Je ne parle pas à un mal élevé qui lit en même temps.

Ou vous marmonnez entre vos dents :

— Griboumounoutaraviculabel...

Il lève les yeux au ciel devant votre gaminerie.

— Mais je ne lis pas! Je regarde le journal tout en t'écoutant.

Vous annoncez :

— Flash spécial. Le Président de la République a été poignardé par un Congolais fou.

Il rigole :

— Quelle emmerdeuse!

Et il jette son journal par terre.

Maintenant que les enfants sont partis, vous dînez en tête à tête. Vous faites toujours aussi mal la cuisine. Il ne s'en plaint jamais. Vous lui en êtes reconnaissante. Il part en précisant qu'il est affreusement pressé mais traîne dix minutes sur le palier où vous vous embrassez fougueusement.

Et où vous vous disputez.

Pour le plus grand profit des voisins.

Vous avez plusieurs sujets de bagarre. Toujours les mêmes. On a des habitudes ou on n'en a pas.

D'abord et inlassablement les enfants.

Le Macho de votre vie a toujours considéré que l'élevage des petits relevait de votre compétence féminine. Il n'est pas content du résultat. Il vous le fait savoir vertement. Vous répondez violemment en évoquant la « faillite paternelle » : « T'avais-qu'à-t-en-occuper-un-peu! »...

Petite Mère est mariée avec un brillant Polytechnicien sorti des Mines, ce qui ne l'a pas empêché de lui faire trois enfants dont elle s'occupe avec passion tout en dirigeant une boutique de fringues. Ce qui lui laisse peu de temps pour vous voir. Vous devez vous contenter de longs bavardages téléphoniques et des déjeuners du dimanche. Malheureusement, Alexandre n'apprécie pas les Polytechniciens, même brillants. « Est-ce que je suis vraiment obligé de supporter ce con de fonctionnaire qui fait je ne sais quoi à la Mobilisation Industrielle et qui ne lit jamais un livre, sauf l'annuaire de l'X. ? »

Quant à Balthazar, c'est pire. Pour Alexandre, son fils a mal tourné.

Il peint.

Son écrivain de père, qu'on aurait pu supposer compréhensif envers une vocation artistique, ne le supporte pas.

– Il ne va jamais gagner sa vie comme ça! C'est de ta faute! Tu l'encourages!

– Tu as la mentalité petite-bourgeoise de la femme de Van Gogh! glapissez-vous.

Le Père, furieux, vous accuse alors de filer en douce de l'argent à son fils. C'est vrai. Mais vous niez. Vous aidez même Balthazar à exposer dans une galerie. Un certain succès. Alexandre est stupéfait. Qui peut bien acheter de pareilles horreurs? « Tu ne comprends rien à l'Art Conceptuel Brut », triomphez-vous. Vous vous feriez tuer plutôt que d'avouer que vous détestez, vous aussi, les personnages terrifiants que votre charmant Balthazar tire de son inconscient.

Autre grand sujet de discussion sur le palier (quand il l'entend démarrer, le chien d'Alexandre s'endort sur le paillasson) : la politique.

L'Homme et vous, n'avez pas les mêmes opinions.

Celles d'Alexandre sont simples : le monde est pourri et peuplé de cons. Tout va mal. L'avenir se dessine encore plus sombre. Son parti : celui des misanthropes enragés. Plus les années passent, plus son pessimisme devient apocalyptique.

Par pur esprit de contradiction, vous défendez des thèses optimistes.

En fait, vous n'avez aucune idéologie précise. Rien que des réactions instinctives.

Le jour de la chute de Diên-Biên-Phu – où votre père a été blessé –, vous avez pleuré.

L'entrée des chars russes à Budapest vous a jetée dans la rue, avec une foule grondante autour de l'Étoile. Tout à coup, quelqu'un a crié :

– Tous au Parti communiste!

Et, en avant, vous voilà partie en tête d'un immense cortège, vers le carrefour Kossuth!

Au bout de quelques kilomètres, vous avez mal aux pieds. C'est votre première manif. Vous n'avez pas mis de baskets. Du reste, la mode des baskets à manif n'existe pas encore.

Vous entonnez à pleins poumons la *Marseillaise*. Ses accents impétueux vous exaltent. (Encore maintenant. Ce qui, à votre grande indignation, fait pouffer de rire vos petits-enfants : « Mais Mamie, c'est bêêêêêête : ...qu'un sang qu'impur abreuve nos sillons...! »)

Pour l'instant, vous avancez énergiquement, boitant et chantant. Des cars de flics en travers de la rue de Châteaudun barrent l'accès du carrefour Kossuth.

Cris, clameurs, de l'énorme foule : « Laissez-nous passer... les flics avec nous! »

Les CRS sourient bêtement. Leur cœur bat avec les manifestants mais les ordres sont les ordres.

C'est alors que vous commencez à avoir peur. Vous qui étiez si fiérote d'être en tête de la multitude – vous avez la manie de marcher à la vitesse d'un gendarme en mission –, vous êtes menacée d'être écrasée contre les cars de police par la marée humaine qui continue à avancer en hurlant.

Vous avez beau piailler : « Au secours! J'étouffe...! », personne n'entend votre filet de voix. Jean-Louis a disparu depuis la gare Saint-Lazare. Heureusement, un CRS vous prend en pitié et vous laisse vous glisser entre deux cars. Vous débouchez sur la place Kossuth. À votre surprise, vous n'y êtes pas seule. Des hommes, dont la démarche souple et le crâne rasé révèlent l'origine parachutiste, se sont faufilés, eux aussi, et beuglent :

– Les cocos à Moscou!

Vous apprendrez plus tard qu'il s'agit de la « bande à Biaggi ».

Aux fenêtres du sinistre vieil immeuble du Parti s'agitent des silhouettes. Un cri dans vos rangs :

– Les cocos nous jettent de l'acide sur la gueule!

Votre petit groupe devient enragé :

218

– Faut les attraper, ces salauds! Brûlons ce nid d'espions!

Oui. Mais comment?

En entrant dans l'immeuble par un étroit café. Une voix assure que celui-ci communique avec les bureaux du Parti par un escalier secret.

Les paras saisissent des tables de bistrot imprudemment laissées sur le trottoir et, les tenant au-dessus de leur tête pour se protéger des jets d'acide, cassent les vitres du troquet et l'envahissent.

Vous suivez le mouvement. Et vous vous coupez profondément le genou sur un éclat de verre. Votre sang gicle. Vous êtes trop hors de vous pour vous en préoccuper.

Vous êtes surtout, moins glorieusement, taraudée par l'envie de faire pipi.

Le café semble en folie. Tout le monde braille et court en tous sens. Certains crient qu'ils ont découvert le fameux escalier et une porte blindée à laquelle ils s'attaquent. D'autres brûlent des chaises dont la fumée commence à vous asphyxier.

Mais vous avez trouvé les toilettes.

Vous entrez dedans et vous vous installez. Ouf!

À cet instant, votre porte est arrachée de ses gonds par un manifestant qui vous regarde, avec la plus parfaite indifférence, trônant sur le siège, la culotte sur les chevilles. Il s'enfuit avec votre porte. Vous restez assise, gênée d'être vue dans cette situation intime par des dizaines d'inconnus qui continuent à s'agiter et à s'égosiller dans des tourbillons de fumée et qui se foutent éperdument de vous.

Vous remontez dignement votre petite culotte et vous revenez vous mêler aux manifestants.

Une clameur:

– Les cocos se tirent!

Or, par un hasard inouï, vous avez travaillé quelques mois dans le même pâté de maisons, mais dans la rue derrière. Vous savez vaguement que les sixièmes étages communiquent et que les coursiers du Parti sortaient souvent boire un coup en douce, par la rue de la Victoire.

— Montrez-nous le chemin! crient des voix surexcitées.

Vous y allez bravement, à la tête de votre commando.

En effet, les assiégés sont en train de s'enfuir par là. Les paras de la bande à Biaggi leur sautent dessus et commencent à leur filer de grandes claques. Bagarres.

Mais, sans que vous vous en rendiez compte, l'énorme foule a débordé les CRS et vous a suivie. Elle gronde :

— À mort! Pendez-les!!!

Votre sang ne fait qu'un tour. Vous hurlez :

— Non! Non! Ce sont des petits!... des huissiers!... des coursiers!

— À mort, les cocos! Pendez-les! reprend la foule hystérique.

— À Budapest, ils tuent aussi les petits, vous répond un monsieur très distingué, les cheveux en bataille.

— Ce sont les responsables qu'il faut attraper! bramez-vous avec entêtement, allons chez Waldeck-Rochet!

— Ceux-là, on les tient! répond la foule enragée.

— Waldeck, il habite au diable! remarque une dame qui a certainement, elle aussi, les pieds fatigués.

— Donnez-nous ces salopards! scande la foule assoiffée de sang.

Vous vous regardez avec les hommes de Biaggi.

— Elle a raison, la petite! On n'est pas là pour pendre des garçons de bureau, remarque avec indignation une grosse brute à l'air sanguinaire mais au cœur populiste.

Et votre bande de rentrer dans l'immeuble en protégeant ses prisonniers terrorisés. Vous demandez au concierge, sur le pas de sa loge, d'appeler les flics. Il vous reconnaît et reste stupéfait : « Comment? Vous, ici?... ben ça, alors... jamais j'aurais cru... » Allons bon! Cela va se savoir dans les milieux de la publicité que vous êtes une dangereuse terroriste. Tant pis. Vous verrez demain. Parce que, pour le moment, la situation devient explosive. Les manifestants, dehors, cassent la porte vitrée de l'immeuble et s'avancent, à moitié fous, vers votre petit groupe. Qui recule dans l'escalier. Vous voilà vous battant en compagnie des garçons de bureau du Parti communiste contre vos ex-amis. Vous prenez un coup de poing formidable sur le nez, vous voyez trente-six chandelles, vous commencez à craindre qu'on ne vous lynche, vous aussi.

Sauvée par l'arrivée d'un escadron de CRS qui se précipitent dans l'immeuble et vous embarquent, avec vos prisonniers/amis, dans le panier à salade! Sous les huées de la foule.

Vous apercevez alors vaguement le visage inquiet de Jean-Louis.

– Mon Dieu! Tu es blessée! crie-t-il, où vas-tu?

– Je ne sais pas!

– Je te retrouve à l'hôpital...

L'excitation tombée, vous réalisez que vous êtes dans un triste état. Couverte de sang, le genou ouvert, le nez cassé. Tout cela pour sauver l'ennemi que vous étiez venue insulter.

Vous vous jurez de ne plus jamais retourner à une manif de votre vie. Vous avez eu trop peur de la foule bête, folle, répugnante.

Vous ne tenez pas parole.

En 1968, cette fois avec Alexandre, vous montez sur les barricades de Mai. Toujours exaltée. Que la vieille société saute et qu'un monde nouveau apparaisse! Vous faites la chaîne des pavés avec les étudiants.

Jusqu'au moment où ceux-ci commencent à couper les arbres du boulevard Saint-Germain.

Vous tentez violemment de vous y opposer.

– Ah non! On n'est pas là pour faire la guerre aux arbres!

Une fois de plus, la foule ne vous écoute pas.

Vous rentrez chez vous immédiatement. Cette fois, vous êtes bien guérie des manifs et même de la politique.

Vous ne pouvez cependant pas vous empêcher de prendre part à la lutte féministe. Surtout au moment de la loi Neuwirth concernant la création d'un Office national d'information et d'éducation familiale. Vous imprimez des tracts sur la liberté de contraception et d'interruption de grossesse et vous les distribuez à la sortie des métros en compagnie de quelques copines. Vous vous faites traiter de « tricoteuse »... de « sorcière »... de « mal baisée »... de « lesbienne »... Vous recevez même une gifle d'une dame catholique particulièrement pleine d'amour pour son prochain.

La loi Weil votée (merci, Mme Weil, merci, M. Giscard d'Estaing), vous continuez à militer vaguement pour la libération des femmes musulmanes voilées, enfermées, lapidées par un Islam intégriste et fou. Pour les Africaines excisées, infibulées, mutilées. Pour les Indiennes brûlées pour manque de dot. Pour les petites Chinoises étouffées à leur naissance parce qu'elles ont le malheur de n'être pas garçons. Etc.

Alexandre ricane sur le palier.

– Tout le monde s'en fout! Tu n'es qu'une féministe attardée!

Vous le haranguez sur la première marche de l'escalier.

Une fois, vous l'avez insulté :

– Vieux phallo répugnant!

Cela lui a échappé :

– Mal baisée!

– Mal baisée par QUI? avez-vous hurlé (tout l'immeuble l'a entendu).

Il s'est enfui. Et évite désormais la moindre allusion à ce sujet brûlant.

Mais les plus vives et quotidiennes disputes avec l'Homme de votre vie concernent les machines.

Alexandre est fou des gadgets modernes. Dès qu'une nouvelle technique apparaît, il se précipite pour vous offrir l'appareil le plus performant, c'est-à-dire le plus compliqué.

Hélas! Vous êtes une handicapée de la mécanique. Au-dessus de deux boutons (marche/arrêt), vous êtes paumée.

Ce qui met votre époux en rage.

– Ce n'est pas croyable! Un bébé de deux ans saurait se servir de ce truc.

Vous baissez la tête. Il a raison. Vos petits-enfants se débrouillent comme des chefs. Pas vous.

La voiture est la première machine dont vous avez découvert la méchanceté sournoise et où s'est révélée votre incapacité à la dompter.

De votre enfance, vous en gardiez pourtant un bon souvenir. Après la distribution des Prix, au couvent du Sacré-Cœur où vous étiez « demoiselle », votre grand-père et son haut-de-forme – il était le dernier à Paris à le porter –, votre grand-mère et son chapeau cloche, s'installaient majestueusement sur la banquette en cuir odorant d'une énorme Minerva. Mademoiselle – votre gouvernante – et vous, vous vous asseyiez, face à eux, sur de grands strapontins. Au volant – séparés de votre petit groupe par une vitre – Paul, le chauffeur avec lequel Grand-Père communiquait par un cornet – et Madeleine son épouse, la femme de chambre de Grand-Mère. Sur le toit, d'immenses malles contenaient des vêtements pour tout l'été et l'argenterie de famille.

Hautaine, silencieuse, royale, la Minerva s'ébranlait sur la route des vacances et du château familial.

Votre joie était totale.

Vous étiez loin de vous douter de tous les embêtements que vous alliez rencontrer dans la vie à cause des automobiles.

D'abord, quand Jean-Louis, votre premier mari, vous pria de passer votre permis sous prétexte qu'une jeune femme moderne devait savoir conduire. Naïvement, vous avez approuvé. Et dû, à votre grande honte, prendre deux fois plus de leçons qu'une dizaine de paysannes espagnoles comprenant mal le français. L'auto-école vous considéra comme un cas.

Vint cependant le jour du passage du permis.

Vous entendez avec horreur l'Inspecteur vous prier de vous garer en marche arrière. Or, vous n'avez jamais su, et vous ne savez toujours pas, effectuer cette manœuvre sans serpenter comme une couleuvre ivre et taper successivement avec vos pare-chocs dans les voitures devant et derrière. Boum. Boum.

Ce jour-là, vous aviez une circonstance atténuante. Vous étiez enceinte de huit mois et demi. Vous avez fait valoir que votre énorme ventre vous empêchait de vous retourner et qu'une grave contrariété, telle par exemple que le refus du permis de conduire, pouvait vous amener à accoucher sur votre siège, dans les bras de l'Inspecteur. Affolé, il vous fila le précieux document et s'enfuit.

Depuis, vous avez dû faire face à une cohorte d'automobiles cabochardes.

... une Panhard junior dont vous avez fait exploser le moteur dans un champ de pommiers normands, au milieu de vaches stupéfaites. Moins toutefois que le garagiste qui ne put jamais expliquer l'incident et renvoya purement et simplement le véhicule au constructeur.

... une Dauphine achetée d'occasion à un Fils à Papa – devenu depuis un ministre très connu, ce qui ne l'empêcha pas de vous arnaquer. La jauge d'essence était fausse (d'où des pannes qui vous rendaient hystérique), la carrosserie rouillée tombait en morceaux et vous vous êtes rendue un jour à une réception très élégante au Crillon, assise sur un oreiller qui perdait ses plumes en guise de siège et avec une portière manœuvrée par un fil de fer. Le Portier très snob du Crillon faillit en périr de honte.

... un énorme break Renault vert foncé qui refusait de quitter Paris pour le week-end. Il tombait systématiquement en panne, le vendredi soir, sous le tunnel du pont de Saint-Cloud, alors que vous transportiez vos enfants, la Nanny, la bonne espagnole et son petit garçon, et des dizaines de sacs, paquets, cartons, etc. Vous provoquiez de tels encombrements, suscitant la fureur et les injures de centaines d'automobilistes, que la Gendarmerie avait fini par vous repérer et envoyer systématiquement deux motards pour vous dépanner.

Vous vous êtes plainte à votre garagiste.

– Elle a comme un défaut, médita-t-il, c'est peut-être une voiture du lundi...

Et de vous expliquer que les voitures, assemblées le lundi par des travailleurs mal remis de leur week-end, avaient tendance à tomber plus facilement en panne que les autres. Même chose pour celles du vendredi montées par les mêmes travailleurs, cette fois fatigués de leur semaine. (Vous laissez à votre garagiste la responsabilité de ces affirmations. Vous ne désirez pas d'histoires avec les puissants Syndicats de Renault.)

... une 2 CV à laquelle vous vous étiez finalement attachée mais dont les portières avant s'ouvraient brusquement comme des ailes de libellule, à 80 à l'heure...

Trimballer de tels engins dans Paris a toujours constitué pour vous un cauchemar. Vous détestez être bloquée dans des encombrements au milieu de la haine générale, insultée par des fous furieux : « T'avances, pétasse ! », méprisée par les motards escortant les hommes politiques pressés d'aller déjeuner, traquée par des contractuelles perverses, « Mais, Madame, ne me mettez pas de contravention : j'étais juste partie chercher la monnaie pour acheter un ticket de parking ! – Trop tard ! j'ai déjà écrit sur mon carnet ! »...

Aussi, quand vos enfants atteignirent l'âge de conduire votre voiture et en profitèrent pour vous l'emprunter... et ne pas vous la rendre... avez-vous été secrètement enchantée. Vous jouez la comédie de la Mère Pélican dont les rejetons arrachent de ses entrailles sa chère petite AX, mais vous prenez joyeusement des taxis. C'est cher mais vous économisez sur les calmants.

Le téléphone vous avait laissé également de charmants souvenirs d'enfance. Vous aimiez beaucoup voir votre grand-père tourner la manivelle du poste installé dans le hall d'entrée à la campagne, l'entendre interpeller la demoiselle des Postes du village à qui il demandait des nouvelles de sa santé et de celle de toute sa famille et qu'il s'efforçait de distraire en jouant du cor de chasse tandis qu'elle appelait Paris.

Vous avez vous-même adoré le téléphone pendant des années. Vous êtes capable de bavarder deux heures de suite avec vos enfants et vos copines.

Hélas, Alexandre a fait poser chez vous trois postes avec un interrupteur qui n'est jamais branché correctement, ce qui fait que la sonnerie retentit toujours sur un poste éloigné de la pièce où vous êtes et que vous devez courir à travers l'appartement, comme une souris poursuivie par un chat.

Mais il y a pire désormais.

Le système dit de « la conversation à trois », encore traitreusement installé par l'Homme.

Vous êtes en train de papoter avec une copine A quand un *dring-dring-dring* lancinant vous avertit qu'une copine B est en train de vous appeler à son tour. Vous priez la copine A d'attendre quelques instants et vous appuyez sur des boutons çà et là pour savoir qui vous appelle. Ça marche! Vous prévenez votre copine B que vous êtes déjà en train de parler avec copine A et que vous la rappelez dans dix minutes. Et vous rappuyez sur d'autres boutons, çà et là. Cette fois, ça coupe tout. Merde. Vous essayez de faire le numéro de copine A. Il sonne occupé. Elle est elle-même en train de refaire votre numéro. Tant pis. Vous l'abandonnez pour composer le numéro de copine B. Celle-ci comptant que vos dix minutes se transformeraient en vingt est allée prendre sa douche et a branché son répondeur. Vous n'entendrez plus parler de vos copines A et B pendant un an.

Une femme moderne se doit d'avoir un téléphone ET un répondeur. Alexandre vous a offert le premier. Un monstre qui non seulement enregistrait les messages mais vous les redonnait à distance à condition que vous siffliez suivant un certain code. Vous avez donc passé de longs moments dans les cabines téléphoniques souvent malodorantes des cafés parisiens, à essayer de siffler comme un merle, à la grande surprise des dames-pipi. Sans résultat. Vos dents en avant vous empêchent de siffler correctement.

Ce que votre époux vous reprochait le plus, c'était votre propre message d'accueil. Soit il le trouvait triste : « On dirait que tu es une femme battue »... Soit idiot : « Pourquoi racontes-tu que tu es partie à la piscine avec Paul Newman? Tu essaies de faire de l'humour ou quoi? » Soit carrément lassant : « Change un peu ton texte, nom de Dieu! »...

Vous avez cru comprendre qu'un répondeur téléphonique visait deux objectifs. D'abord filtrer les communications pendant que vous travaillez. Or personne, absolument personne, ne vous appelle à 5 heures du matin quand vous vous mettez à écrire. Plus tard, dans la matinée, oui. Hélas, votre vilaine curiosité féminine vous pousse à écouter le message. Et, ma foi, puisque vous êtes déconcentrée, autant décrocher et bavarder. Cela vous fera une petite pause. Qui durera jusqu'à l'heure du déjeuner.

Deuxième objectif du répondeur. Enregistrer les communications en votre absence. Là, trois solutions. Soit vous ne trouvez aucun appel à votre retour d'un long après-midi de courses. Ce qui vous déprime : pas une âme au monde n'a pensé à vous. Soit une dizaine l'ont fait et vous vous sentez épuisée à l'idée de rappeler tous ces gens-là. Soit – le plus courant et exaspérant – vos correspondants ont raccroché sans laisser ni un message ni même un prénom. Vous vous creusez la tête la soirée entière pour deviner qui sont ces mal élevés.

Vous avez donc sournoisement rangé votre répondeur sous votre bureau et laissé se débrouiller votre femme de ménage portugaise qui a le chic pour écorcher les messages. Ce qui vous permet de rappeler qui vous voulez :

– Ce n'est pas toi qui m'as téléphoné cet après-midi? Non! Tant pis. À propos, je voulais te dire...

C'est parti.

Dans votre salon trône une très belle télévision couleurs. Rien à dire, vous aimez la regarder. Sauf les soirs où vous avez le choix entre un film rediffusé pour la cent cinquantième fois, une émission sur le drame de la faim dans le monde, un reportage sur l'enfer de la drogue, un débat sur le Sida, un documentaire sur les handicapés profonds. Sans oublier la causerie de l'homme politique dont le visage trop maquillé et la langue de bois vous exaspèrent.

En revanche, vous êtes passionnée par les Informations.

Vous êtes la seule dans tout Paris.

Car, immanquablement, à l'heure pile où elles démarrent, le téléphone sonne. Même pendant la Guerre du Golfe, il y avait toujours quelqu'un pour vous appeler – pile au moment où Bush-Mitterrand-Gorbatchev allaient annoncer une nouvelle grave – et tenter de caqueter gaiement avec vous bien que vous répondiez par des grognements d'oursonne, les yeux fixés sur l'écran.

Le temps d'expliquer : « Non, non, je ne suis pas malade, je regarde les Informations, je te rappelle dans une demi-heure, si, si, c'est promis », et de raccrocher, Bush-Mitterrand-Gorbatchev avaient disparu.

Votre magnétoscope – le dernier cri de la technique japonaise – nécessiterait l'emploi permanent d'un ingénieur nippon qui saurait manipuler les quatorze programmes à l'avance. Vous vous contentez – en consultant le mode d'emploi que Lucinda n'a pas jeté avec le code de Canal + – d'appuyer sur deux boutons au moment où le film que vous désirez enregistrer est supposé commencer (en fait, il débutera vingt minutes plus tard, les chaînes ne pratiquant pas la politesse des rois). Ensuite... ensuite, vous ne le regarderez jamais, ce film. 1° la cassette vidéo refuse de démarrer dans sa cavité – Monsieur Sony seul sait pourquoi; 2° vous ne trouvez jamais le temps de le visionner.

Vous avez donc insensiblement abandonné l'usage du magnétoscope japonais qui sert désormais à décorer votre salon et à ne pas donner l'heure. Vous avez été incapable de maîtriser les boutons de l'horloge et vous êtes obligée de supporter une série de 8888888 bleus qui scintillent comme des fous, vingt-quatre heures sur vingt-quatre.

Puis le zappeur est entré dans votre vie.

Au début, vous avez été enchantée. Changer de chaîne sans décoller votre derrière du canapé, quel progrès prodigieux! Malheureusement, vos héritiers ont compris l'intérêt du zappeur une minute avant vous et s'en sont emparés. Ce sont eux qui zappent, jamais au moment où vous auriez zappé vous-même. Malgré vos cris de colère, vous avez dû regarder des tranches de matches de foot, des morceaux de variétés débiles, des passages de films de science-fiction auxquels vous ne comprenez rien.

Quand vous avez récupéré votre zappeur, au départ des enfants, vous avez constaté que :

– le zappeur a tendance à s'enfouir comme une taupe dans les coussins pendant que vous êtes partie aux toilettes, profitant de la pub. Le temps que vous le retrouviez, l'héroïne s'est mariée quatre fois et a eu dix enfants;

– le zappeur rend fou. Vous tentez de temps à autre de regarder, grâce à lui, trois films à la fois. Vous en tirez la conclusion que sainte Thérèse de l'Enfant Jésus est partie avec Louis de Funès dans un vaisseau spatial combattre l'Exterminator;

– le zappeur n'est d'aucune utilité pendant les Informations. Au contraire. Les journalistes parlent tous des mêmes sujets mais dans le désordre. Vous entendez cinq fois l'avis de l'arrêt de travail des pilotes d'avion, grands spécialistes des grèves les veilles de Noël et des vacances scolaires (pourquoi ne pas les remplacer par les infirmières dix fois moins payées et plus utiles, à votre avis, à la société?);

– il y a pire qu'un zappeur : c'est deux zappeurs. Pendant des années à la campagne, votre télévision a mal marché. Quand soufflait le Cers (vent du Nord-Ouest) la Une était brouillée. Quand c'était le tour du Marin (vent de la mer) la Deux était piquetée de blanc. Cela ne vous gênait pas, secrètement ravie que les éléments naturels puissent être plus forts que la technologie moderne. Une pauvre petite brise agitant vos chênes sur la colline ridiculisait l'honorable monsieur Sony et ses ingénieurs samouraïs.

Alexandre ne supporta pas. Il fit installer une énorme antenne parabolique sur votre joli toit de tuiles rondes anciennes. Celle-ci capte les chaînes du monde entier avec le zappeur numéro 1 (quarante-trois boutons). Sauf la 3 que vous devez attraper avec le zappeur numéro 2 (vingt-deux boutons).

Vous préférez allez vous coucher sous votre couette avec un bon bouquin.

Et écouter la radio.

Votre premier souvenir de la TSF : un gigantesque cube de bois posé sur le guéridon Louis XVI du petit salon de votre grand-mère à la campagne. Personne n'en tournait jamais les boutons. Jusqu'à un certain jour où la famille se groupa autour pour écouter un certain Maréchal Pétain. À la suite de quoi, tout le monde éclata en sanglots. Cela frappa beaucoup votre jeune imagination. Cette étrange machine parlante était capable de faire pleurer votre cher oncle François avec ses beaux yeux bleus, sa moustache gauloise et sa jambe de bois de la guerre de 1914.

Votre minuscule transistor actuel se nourrit de piles qui tombent mortes le matin où vous désirez connaître la météo, avant de prendre la route (la météo nationale n'est pas toujours fausse, non! non!).

La cuisine est un gisement de machines. Machine à laver la vaisselle qui ronronne bruyamment. Machine à laver le linge qui fait vraoum-vraoum, elle aussi, pendant des heures, ainsi que la machine à sécher ledit linge (poum-poum-poum... poum!). Quand on pense que les hommes ont été dans la lune et vivent dans des fusées orbitales mais sont incapables de construire des appareils qui ne cassent pas les oreilles des ménagères, il y a de quoi être agacée! Grille-pain ou plutôt brûle-pain qui fait disjoncter le compteur si vous le branchez en même temps que le four. Ah! le four! Vous aviez réussi à en dompter un et même à y rôtir des rosbifs lorsque Alexandre déclara qu'une telle antiquité n'était pas digne de votre foyer. Vous vous êtes retrouvée, avant d'avoir le temps de dire ouf! avec un énorme machin blanc ne comportant aucune indication en langage chrétien mais des signes incompréhensibles : des petits carreaux, une clef, des traits, etc. Même le classique dessin du poulet traversé d'une broche avait été supprimé par un *designer* pervers qui n'avait jamais cuisiné. En revanche, le mode d'emploi (en allemand, en anglais et en néerlandais) indiquait que vous pouviez programmer la cuisson dudit poulet huit jours à l'avance. Vous mettiez simplement le volatile dans le four, vous partiez en voyage à Rome et quand vous reveniez, vous le trouviez cuit à point...

... et pourri!

Votre four a une horloge que vous ne savez pas non plus mettre à l'heure, pas plus que celle du micro-ondes et des réveils de Hong Kong dont les remon-

232

toirs ont été cachés par des Chinois vicieux à l'intérieur des boîtiers. Vous vivez au milieu de plein d'heures différentes et vous finissez par vous fier au soleil.

Alexandre a aussi installé le premier Minitel dans votre entrée. Vous n'en avez pas compris du tout l'utilité. Les enfants, si. Votre note de téléphone a fait un bond prodigieux. Vous avez appelé la Poste pour vous plaindre et appris que Pauline jouait des heures entières au « Président » et que Balthazar lançait des messages érotiques, pendant que vous dormiez paisiblement.

Vous avez enfermé cette saloperie de truc dans le placard aux machines à écrire.

La semaine dernière, votre banque vous a envoyé une lettre pour que vous preniez un abonnement à son « télé-service sur Minitel pour-gagner-du-temps ». Moyennant quoi, vous deviez commencer par en perdre du temps en lisant un immense dépliant de quatre pages, en remplissant une demande d'abonnement en trois exemplaires et en envoyant un chèque de 32 francs par mois (après avoir recherché votre chéquier pendant un quart d'heure et attendu une demi-heure à la poste pour un timbre). Ensuite, votre chère banque vous envoyait un numéro de code secret à huit chiffres (huit !) que vous deviez cacher soigneusement (une heure pour le retrouver planqué dans le dossier EDF). Vous aviez à y ajouter un mot de passe personnel (non ! Pas « merde » !)... et ainsi « protégée par une double sécurité » vous étiez reliée en permanence à votre compte en banque.

Vous ne désirez aucunement être reliée en permanence à votre compte en banque. Les questions de sous sont déjà assez embêtantes comme ça ! Vous essayez, au contraire, d'y penser le moins possible.

Une fois par mois vous suffit bien pour aller retirer quelques billets pour les achats que vous ne payez pas par carte bleue et vous enquérir de votre solde. Cela vous donne l'occasion d'une promenade suivie d'un court bavardage avec la charmante jeune femme qui s'occupe de votre compte et à qui vous téléphonez quand celui-ci plonge dans le rouge. Elle vous assure d'une voix délicieuse que cela n'est pas grave. Est-ce qu'un Minitel accepterait avec tant de gentillesse vos fantaisies financières? Sûrement pas. Vous laissez donc définitivement l'engin dans le placard aux machines à écrire. Et vous gagnez encore du temps en n'y pensant plus.

Ah! vos machines à écrire! Que de drames sur le palier elles ont suscités entre l'Homme et vous. Il vous les a toutes offertes. Ou menacé de le faire. Les électriques, les électroniques, les avec ordinateur, les avec imprimante, les avec traitement de texte, les avec laser, les avec dictionnaire incorporé, etc., etc. Or, vous ne pouvez travailler que sur de petites portatives mécaniques, dans un bruit d'enfer, tap, tap, tap, en cassant vos ongles sur les touches et en proférant des grossièretés à chaque fois que vous devez changer le ruban. Votre préférée : la Valentine rouge de chez Olivetti qui figure au musée de New York.

Alexandre qui écrit, lui, sur Mac Intosh, a juré de ne plus jamais mettre les pieds dans votre bureau. Il ne veut pas voir l'outil préhistorique sur lequel vous tapez comme une sourde, preuve éclatante que sa femme est une demeurée de la technologie moderne.

Dernier casus belli : le fax.

– Tout le monde a désormais un fax, a explosé l'Homme, c'est in-dis-pen-sa-ble pour communiquer rapidement... par exemple avec les gosses ou moi-même...

234

Là, vous avez refusé carrément. Non à cause de votre gaucherie incapacitante. Mais par principe.

Déjà le téléphone a remplacé les visites et les doux tête-à-tête avec vos enfants. Au moins, il vous reste leurs voix. Celle, claire et vibrante, de Pauline. Celle, chaude et tendre, de Balthazar. Et les rires de vos copines. Ou, au contraire, le ton cassé de leurs « allô? » qui vous fait comprendre immédiatement que leurs bonshommes les ont laissé tomber. Avec un fax, le dernier petit bout de contact humain disparaît. Les machines parlent aux machines. Assez.

Mais le plus grave sujet de dispute entre l'Homme de votre vie et vous reste, encore et toujours, ce que vous écrivez. Il ne vous pose pas de questions. Vous ne lui en parlez jamais. Depuis sa fuite en Afghanistan, vous évitez l'érotisme échevelé. La paix des ménages d'abord.

Vient implacablement le jour terrifiant où votre livre sort en librairie et où vous ne pouvez plus reculer : vous lui donnez le premier exemplaire. Il ne fait aucun commentaire. Sauf, comme d'habitude, dans l'escalier, en partant.

– Qu'est-ce que je prends, dis donc, dans ton dernier bouquin!

– Comment ça? Mais je ne parle pas de toi!!!

– Et qui c'est, l'Homme?

– Ben... les hommes en général!

– Ah bon! Lesquels?... que je leur casse la gueule!

Vous tentez de calmer son courroux. Après tout, il écrit, lui aussi. Malheureusement plus jamais de romans.

Il descend l'escalier, fâché.

Or, vous supportez de moins en moins d'être brouillée avec Alexandre.

C'est devenu là votre immense faiblesse.

Au fil des années, l'Homme de votre vie manifeste son mécontentement de manière différente. Il pique moins de grosses colères sur le palier mais, à la première discussion un peu vive, il va bouder tout seul, chez lui.

Vous l'apprenez en ne le voyant pas réapparaître le lendemain. Le verrou est tiré chez lui. Le téléphone ne répond pas.

Cela vous rend folle.

Vous entrez en rage contre cet ours qui s'est enfermé dans son terrier, à trois cents mètres de chez vous.

Les jours passent. Votre colère enfle avec le sentiment de votre impuissance. Au lieu de travailler, vous établissez inlassablement la liste de ses défauts. Elle est longue. Très longue. Comment avez-vous pu rester trente ans avec ce Grand Salaud. Qui vous traite avec une telle désinvolture! Qui ne vous aime pas, c'est évident! Qui ne vous a jamais aimée, c'est sûr! Mais c'est fini! Ras-le-bol! Vous allez divorcer! C'est ça, divorcer!

Vous attrapez le téléphone et, d'un ton douloureux, vous prévenez vos enfants et vos copines de votre terrible décision.

Pauline et Balthazar ne vous prennent pas au sérieux.

– Mais, Maman, tu nous annonces ça tous les mois! Tu sais bien qu'Alexandre t'adore et que tu l'adores...

Quant à vos copines, elles rigolent carrément :

– Arrêtez tous les deux de jouer aux amants terribles! À votre âge, ce n'est pas sérieux.

Quelques jours passent. Alexandre boude toujours dans son trou. Vous râlez dans le vôtre. Non, vous ne ferez pas le premier pas. Après tout, c'est le Grand Salaud qui a tort. N'est-ce pas?

Vous craquez.

D'un coup.

Toujours la première (ce qui est, l'on en conviendra, prodigieusement énervant pour votre amour-propre).

Et s'il vous quittait vraiment?

Vous ne le supporteriez pas.

Vous avez besoin de lui. De sa voix. De sa complicité. De son rire. De ses mains. De ses cheveux bouclés blancs.

Vous êtes prête à toutes les lâchetés pour le récupérer. Même à plaider coupable alors que c'est lui, le Grand Salaud, qui a un caractère odieux. (Vous, vous êtes une sainte, si! si!)

Et puis – sait-on jamais – peut-être ne boude-t-il pas mais est-il malade chez lui, tout seul, abandonné...? Ou a-t-il eu un accident et se meurt-il à l'hôpital, sans vous?

Vite, savoir.

Plusieurs solutions. D'abord téléphoner – mais pas sur votre ligne personnelle à laquelle il ne répond pas – d'un ton détaché.

– Allô? Tu vas bien?

– Oui. Pourquoi?

Aïe, sa voix est froide. Vous faites semblant de ne pas le remarquer et vous continuez bravement.

– Comme tu ne donnais pas de tes nouvelles, j'avais peur que tu sois souffrant...

Lâche! Lâche, vous êtes! D'une infecte lâcheté. Honte! Honte!

– Non. Je travaille, c'est tout.

Bon. Si vous raccrochez maintenant en lui disant « crève! » – votre plus cher désir –, il est capable de continuer à vous faire la gueule pendant encore des jours et des jours, et c'est vous qui allez crever à petit feu. Encore un effort.

237

– Si on arrêtait de se disputer?

– Mais je ne me dispute pas. Je reste tranquillement dans mon coin où je n'emmerde personne.

Que ce serait bon de lui découper les deux oreilles avec votre canif Laguiole! Au lieu de cela, vous dites d'une voix mielleuse d'hôtesse de l'air à Orly :

– Tu viens dîner ce soir? J'ai de la mousse au chocolat...

(Il adore.)

Il rit enfin.

– Si vous voulez, Madame.

Il arrive à l'heure juste, avec un sourire ravi. Il vous embrasse goulûment. Vous faites l'amour sur le tapis. Vous vous épanouissez à nouveau comme un nénuphar sur la rivière...

... à l'indignation de vos copines à qui vous n'osez pas apprendre votre ignominieuse défaite.

– Ça y est! Tu t'es encore réconciliée en douce avec ton bonhomme et tu ne nous dis rien!

– La prochaine fois que tu te conduis comme une gamine amoureuse de seize ans, je ne te parle plus pendant un mois!

Quelquefois, vous n'avez pas le courage de lui téléphoner. Vous écrivez, penaude : « Je suis plus malheureuse sans toi qu'avec toi...! Reviens! » Et, sur la pointe des pieds, vous allez glisser votre petit mot sous sa porte.

Il réapparaît immédiatement, toujours enchanté.

Un jour de grosse tempête et de longue fâcherie, vous avez fini par envoyer une lettre à son chien, en le priant de vous ramener son maître (à Monsieur Fax, aux bons soins d'Alexandre V., etc.). Le billet a beaucoup amusé l'Homme qui s'est présenté à l'heure du dîner avec son énorme dogue noir.

– Je suis venu accompagner mon chien qui voulait vous remercier de votre missive...

Voilà TRENTE ANS que cela dure.

Qu'Alexandre joue, sans défaillir, son rôle d'Homme Dominant. Et vous – en pestant – celui de Femme à ses pieds.

Allez-vous continuer encore pendant trente ans?

Oui.

Voilà TRENTE ANS que j'ai dit...
On leur dira : « Que faites-vous de votre rôle ?
Qu'as-tu Dormand ? Et toi... en possède-t-elle tout de
même à six pieds.
Allez-vous continuer encore pendant trente ans ?

CHAPITRE XV

Une famille.

Vous aimez passionnément vos enfants.

Mal. Si vous en croyez les psycho-pédiatres. Pour eux, une mère ne peut être qu'une personnalité étouffante ou un monstre d'indifférence.

Les vôtres vous ont apporté beaucoup de joies égoïstes, des soucis quasi quotidiens et un immense chagrin : quand ils vous ont quittée.

Ils n'ont pas été faciles à élever.

Surtout Petite Mère.

Douée d'une vitalité d'enfer et d'un esprit perpétuellement révolté (les premiers mots qu'elle prononça furent : « c'est pas juste ! »), elle a, dès l'enfance, détesté l'École. Qui le lui a rendu.

Ses carnets scolaires – que vous avez pieusement conservés – ne sont qu'une succession d'appréciations indignées de ses professeurs.

« ... ricane pendant les cours... » « ... s'amuse sans arrêt pendant l'étude... » « ... empêche les autres de travailler... » « ... n'accepte pas le minimum de discipline nécessaire à la bonne marche de la classe... » « ... organise chahuts et grèves... » (allons bon ! une future syndicaliste), etc...

Côté études, ce n'était guère plus brillant : « ... ne fait pas ses devoirs.. » « ... n'apprend pas ses leçons... » « le travail en classe est désastreux... » et pire : « a essayé de tricher en composition ! »... (si votre général de père savait cela !).

De temps en temps, vous piquiez une belle colère. Vous disiez d'un ton dramatique :

– Pauline, j'ai-à-te-parler ! Veux-tu venir dans mon bureau, s'il te plaît ?

Et vous vous asseyiez solennellement, tel un juge anglais, derrière votre table de travail tandis que votre fille restait debout, un peu pâle.

Vous brandissiez alors l'affreux carnet scolaire.

– Tu as vu tes notes en classe ? Tu n'as pas honte ?

Pauline ne se démontait pas. Dans ses ravissants yeux gris-vert passait une lueur d'étonnement faussement candide.

– Montre !

– Arrête ! Tu es parfaitement au courant. Tu n'as que des zéros. Et quelquefois, par miracle, un 2 ou un 3. Ah ! Pardon ! je vois là un 4 en français...

– Mais les professeurs notent sévère EXPRÈS ! Un 4 en français, je t'assure, c'est formidable !

– Et le 1 en anglais, c'est formidable, peut-être ? ... après trois séjours en Irlande !

– Le prof d'anglais me HAIT parce que justement j'ai l'accent irlandais !

– Et le 1/2 en maths, ce n'est pas parce que tu as l'accent irlandais quand même !

– Le prof de maths me HAIT aussi...

(Petite Mère a certainement été l'élève la plus haïe des profs.)

– ... parce que je ne comprends rien aux maths.

(Vous non plus. Vous ne vous attardez pas.)

– Et je lis là : « Insupportable... met le désordre partout ! » Pauline ! Ce n'est plus possible. Tu choisis. Ou tu es la première de la classe et... heu... tu peux te permettre d'être un peu agitée... Ou tu es nulle et tu

242

te fais oublier. Mais pas à la fois cancre et chahuteuse. Trop, c'est trop! Si tu te fais renvoyer de cette école, je te mets en pension en Angleterre.

– Je me fous d'aller en pension en Angleterre.

– C'est cela : crâne! Mais telle que je te connais, tu ne supporteras pas d'être enfermée.

Petite Mère ne répond pas. Elle sait que c'est vrai. Mais elle ne faiblit pas. Elle vous regarde en silence, droit dans les yeux, avec insolence.

Vous hésitez sur la sanction. Plus de cinéma avec les copines jusqu'au prochain carnet? Pas de télévision pendant quinze jours? Aucun argent de poche, ce mois-ci? Vous balancez lâchement. Parce que vous savez que Pauline va faire la gueule. Et que la gueule de Pauline, vous supportez mal. Lèvres serrées, yeux lançant des éclairs, silence écrasant, elle reste tapie dans sa chambre, statue de l'Enfance Torturée par une Mère Sadique.

Vous soupirez.

– Interdiction de téléphone avec tes copines jusqu'à ce que tu saches tes leçons et fasses correctement tes devoirs. Et tu vas m'écrire une lettre d'excuses pour le pion que tu as traité de « crotte de chèvre constipée »!

Pauline tourne les talons et, à la porte, vous demande, insolente :

– Est-ce que tu veux que je pleure aussi?

Un jour, vous avez essayé la carotte au lieu du bâton. Imprudemment, vous lui promettez la bicyclette bleue de ses rêves contre une place de première. Malheureusement, vous n'avez pas précisé en quoi. Triomphante, elle vous la ramène. En gymnastique (20 sur 20 en épreuve de corde à nœuds).

Les seuls papiers réconfortants de l'École venaient du médecin scolaire : « élève en parfait état... excellente santé, etc... » Cela vous mettait du baume au cœur car vous vous donniez un mal fou pour que Pauline ait justement une santé de fer. La vie vous ayant appris que votre propre vitalité avait été un atout plus important que tout le reste. C'est donc devenu une obsession chez vous. Nourriture équilibrée, horaires réguliers et toutes les vacances scolaires (et Dieu sait qu'elles reviennent souvent) « au bon air ». Vous l'envoyez tous les hivers en montagne, généralement dans son home suisse ou chez une amie à l'hospitalité généreuse. En été, au bord de la mer, chez votre père qui a pris sa retraite sur une plage normande avec ses six filles (dont certaines sont plus jeunes que la vôtre). Ou, à la campagne, chez votre mère ou votre ex-belle-mère, avec qui vous continuez d'entretenir les meilleurs rapports.

Pauline grandit, splendide, le caractère farouche mais le cœur tendre et cancresse avec détermination.

Une fois par an, au mois de juin, vous devez boire le calice jusqu'à la lie. Et aller supplier la redoutable directrice du petit cours privé où Pauline s'ébat de la laisser passer dans la classe supérieure.

– Quoi ? Mais elle ne le mérite absolument pas ! proteste la dame au chignon austère, je ne comptais même pas la garder dans notre établissement.

– Pitié ! Pitié ! Elle a juré que l'année prochaine, elle se mettrait vraiment à travailler (vous mentez). Et vous savez bien que si elle veut, elle peut... (vrai, hélas !).

De véritables palabres s'engagent alors. Vous n'hésitez pas à vous tordre les mains, à pleurer, à mettre en avant – d'une manière honteusement putassière – votre condition de femme seule, divorcée, fauchée, remariée, etc. Puis vous abattez votre argument massue. Si Pauline est renvoyée de ce merveilleux petit cours privé, elle n'a devant elle qu'une seule et terrible perspective : l'École publique. Et laïque !

La très pieuse madame de C. frémit alors d'horreur – une âme perdue dans l'enfer du lycée –, compatit et enfin cède.

Vous avez donc tiré ainsi Petite Mère de classe en classe jusqu'à l'année du bac.

Là, ce fut elle qui vint vous voir dans votre bureau.

– Si je passe mon exam du premier coup, est-ce que tu me laisseras quitter la maison ?

Le choc fut dur. Vous saviez votre fille entrée dans une adolescence agitée mais vous n'aviez pas soupçonné qu'elle désirait tant partir. Votre cœur est blessé. Vous réfléchissez tant bien que mal. De toute façon, Pauline est parfaitement capable de s'enfuir au diable avec ou sans votre permission. Autant obtenir le bac en échange. D'autant plus qu'avec de telles études derrière elle, vous escomptez bien que deux ou trois années lui seront nécessaires pour qu'elle obtienne enfin ce fameux diplôme.

Vous répondez donc :

– Oui.

– Alors, tu me mets dans la boîte à bachot la plus vache de Paris.

Dix mois plus tard, elle passait son bac avec mention.

Le lendemain des résultats, elle vous quitta avec sa valise et un nombre incalculable de petits sacs en plastique.

Et alla s'installer à Valenciennes avec l'Amour de Sa Vie : un jeune mineur polonais, superbe représentant blond aux yeux bleus de la race mâle, mais sachant à peine lire sinon les gros titres de *L'Équipe*. Et doté d'une nombreuse tribu polonaise portée sur la vodka.

Un Conseil de Famille comportant Jean-Louis, Alexandre et vous, se réunit en hâte.

– D'où sort cet analphabète polonais? cria aigrement le père de votre fille, en vous regardant d'un air accusateur.

Vous répondez non moins acidement que vous ne possédez aucune réserve personnelle de jeunes analphabète polonais. Et que si Jean-Louis s'était montré un père plus attentif, on n'en serait pas là (argument maternel imparable).

– Bon, bon, grogne ce dernier, culpabilisé, après tout, elle n'est pas majeure. Il n'y a qu'à lui envoyer les gendarmes pour la ramener à la maison.

Cette vision vous remplit d'horreur.

– Tu ne t'es jamais occupé de son éducation et maintenant tu veux que ce soient les gendarmes qui s'en chargent! criez-vous à votre ex... pauvre con de bourgeois!

– Allons! Allons! Ne vous disputez pas! dit Alexandre, secrètement ravi de votre bagarre avec Jean-Louis qu'il accueille avec amabilité mais traite de «fils à papa incapable» derrière son dos.

– Sans compter qu'elle se sauvera la nuit suivante, assurez-vous, qu'elle se fera faire un enfant rien que pour se venger de nous et que nous traînerons ce mineur polonais illettré toute la vie!

– Moi, je peux lui casser la gueule à ce Ladislas! propose Alexandre, toujours enchanté par cette perspective.

L'idée ne vous déplaît pas mais vous savez qu'avec son tempérament violent et romanesque, Pauline se dressera encore plus obstinément aux côtés du Martyr de ses Bourreaux de Parents.

Le Conseil de Famille se sépara, accablé, en convenant qu'il était urgent d'attendre.

Traduction : que vous attendiez. Ce sont les mères qui attendent.

Pauline vous écrivit qu'elle avait découvert à Valenciennes une atmosphère familiale heureuse qu'elle n'avait jamais connue chez vous. Cette méchanceté vous fit sangloter pendant huit jours de suite. Vous ne répondez pas. Des mèches blanches apparaissent dans vos cheveux.

Trois mois plus tard, on sonna à la porte.

C'était Pauline avec sa valise et ses sacs plastique. Maigre comme une chatte affamée et l'œil au beurre noir.

– Ladislas me bat! Il me trompe avec la fille du boucher! Et sa mère est un sac rempli de vodka! Est-ce que je peux revenir à la maison?

– Entre, dites-vous, le plus calmement du monde.

Et vous vous jetez dans les bras l'une de l'autre, en vous embrassant follement.

Six mois plus tard, elle épousait en blanc et en grande pompe son brillant polytechnicien et retrouvait la vie bourgeoise avec enchantement.

On ne dira jamais assez l'épreuve que représente pour une mère l'entrée officielle d'un inconnu dans le lit de sa fille et dans le clan familial. D'autant plus que la personnalité flegmatique, cartésienne et taciturne du nouveau venu contrastait avec l'attitude bruyante et agitée de votre petit groupe. Vous ne savez avec certitude qu'une chose : il déteste vos longs bavardages téléphoniques avec Pauline. Il soupçonne – avec raison – qu'à la moindre discussion conjugale, Petite Mère se rue sur l'appareil pour vous dévoiler les méfaits de son époux. C'est ainsi que vous apprenez qu'il a déclaré deux fois : « Ta mère est une emmerdeuse. »

Vous avez la sagesse de serrer les dents et de NE PAS répliquer : « Ton mari est un pauvre con de technocrate! » Vous savez très bien que ces deux-là vont se réconcilier sur l'oreiller et que la moindre phrase imprudente de votre part sera répétée. Et jamais oubliée par Polytechnique.

Or, si vous clamez à la Ligue des Gonzesses que la première chose que vous demandez au mari de votre fille, c'est de la rendre heureuse – même s'il vous traite « d'emmerdeuse », ce qui ne peut la rendre heureuse, non? –, la vérité vraie, comme disent vos petits-enfants, c'est que vous lui demandez d'ABORD de ne pas vous brouiller avec votre Pauline adorée. Vous restez donc aimable avec ce malpoli.

Naturellement, en cas de divorce – ce que vous ne souhaitez pas – vous videriez votre sac.

Balthazar fut plus facile à élever. Apparemment. Car il manifesta très tôt le même rejet de l'École que sa sœur.

Ou plutôt des études qui y étaient dispensées.

Il se rendait chaque matin en classe d'un pied léger pour y retrouver ses nombreux copains et copines. Mais se désintéressait d'une manière grandiose de ce que pouvaient enseigner les professeurs. Le seul prix qu'il obtint de toute sa vie scolaire fut, au jardin d'enfants, celui du « bon sourire ».

Ses premiers carnets de notes mentionnaient : « Charmant enfant... personnalité attachante... dort très bien en classe... »

Bref, vous aviez hérité à nouveau d'un cancre. Un cancre délicieux mais cancre tout de même. Qui dessinait inlassablement sur ses copies et décrivait ses professeurs avec un humour ravageur...

... le Prof de maths dragueur malgré sa moumoute et son manque de menton qui le faisait ressembler à un faisan... Le Prof politisé qui injuriait ses élèves : « Bande de minables fils de bourgeois! Vous allez crever et ce sera bien fait! »... Celui qui racontait ses problèmes conjugaux et finissait par s'écrouler en larmes sur sa table... Le Prof d'histoire ivrogne, surnommé Sir Whisky, qui mélangeait Azincourt et Waterloo... Le malade qui frappait ses élèves (si! si! gifles pour les filles, coups de poing pour les garçons!)... sans oublier les Pions : le baba-cool qui ne se lavait jamais et surveillait l'étude, pieds nus sales dans des babouches et le boulimique aux poches pleines de morceaux de sucre qu'il croquait sans arrêt : croc-croc-croc...

Au début, vous n'avez pas cru à cette galerie de monstres, dignes du peintre Bosch, et vous grondiez votre fils pour son imagination délirante.

Vous aviez été élevée dans le respect des Maîtres.

Le réveil fut donc brutal quand un proviseur, dans un moment d'abandon, vous le confirma : la moitié de ses professeurs étaient fous.

— On me les impose! gémit-il. Si je m'en plains, on me les retire et je dois supprimer des classes. Et ce sont les parents qui signent des pétitions.

Cette déclaration vous bouleversa. Vous décidez d'aider personnellement Balthazar dans l'épreuve. De devenir une vraie Mère d'Élève.

Vous découvrez alors un monde inconnu :

... les psychologues scolaires et leurs tests dignes d'une demande d'emploi chez Dassault. Résultat : tantôt votre fils était un demeuré, un handicapé mental digne d'un établissement spécialisé ou alors d'un métier manuel comme soudeur..., tantôt son QI était au contraire remarquable et devait l'amener à l'ÉNA. Balthazar se refusait farouchement aux deux options.

Vous faites aussi connaissance avec les Réunions de Parents d'Élèves. Vous vous y rendez solennellement la première fois avec Alexandre que vous avez réussi à traîner contre la promesse d'un plat de macaronis au gratin. Vous y découvrez que les autres parents vous détestaient parce que vous étiez le père et la mère d'un mauvais élève « qui abaissait le niveau de la classe ». Un P-DG transportant une serviette Vuitton, qui parlait de donner à son fils « tous les atouts d'une stratégie pointue pour le challenge du Bac + 6 » vous le reprocha aigrement. Alexandre, furieux, le traita d'« enculé faciste »... (hum! un peu grossier!) et le menaça, selon sa chère habitude, de lui casser la gueule...

Une mère se plaignit que sa fille n'avait pas assez de devoirs à la maison alors que vous tombiez de sommeil à minuit avec Balthazar sur des problèmes de maths auxquels vous ne compreniez rien. Balthazar était alors obligé de vous coucher gentiment.

Vous n'êtes plus jamais retournée aux réunions de Parents d'Élèves.

En revanche, vous vous êtes rendue pieusement aux convocations des professeurs pour entretenir « une relation personnelle École/Parents ».

Cette « relation personnelle École/Parents » se révéla un supplice. Vous deviez faire la queue interminablement devant le bureau de chaque professeur au milieu de mères qui vous regardaient à la dérobée comme une pestiférée (vos yeux baissés et votre air soucieux vous désignaient comme la Mère d'un Mauvais Élève).

Quand votre tour arrivait, le professeur blêmissait, farfouillait dans ses dossiers, en marmonnant : « Ah! Ah! c'est vous, la mère de Balthazar...! Hum! Hum!... pas brillant! le plus bel échec scolaire de ma carrière...! »

Bien que vous soyez bourrée de tranquillisants pour la circonstance, vous n'alliez même pas voir le Prof de maths. Sinon, vous étiez bonne pour une overdose de Temesta.

Balthazar fit ainsi le tour de toutes les écoles de Paris.

Avec son piteux carnet scolaire, vous avez souvent été obligée de faire jouer les pistons les plus divers. Celui de votre député. Du sous-chef de cabinet du ministre, cousin de la belle-sœur de votre libraire. De votre femme de ménage portugaise, du même village que celle du Recteur de l'Académie de Paris, etc.

Votre fils avait toujours l'air enchanté de connaître un nouveau lieu scolaire. Sauf une fois où il se mit dans une colère terrible contre une religieuse, chargée du catéchisme, qui lui affirma que les animaux n'avaient pas d'âme. Indigné, il refusa net de se rendre désormais au caté.

Cela vous laissa indifférente. Vous ne compreniez pas plus le langage du nouvel enseignement religieux que celui des Programmes, changés chaque année par des ministres frénétiquement agités par le désir d'une Grande Réforme-à-laquelle-laisser-leur-nom.

Au fil des jours, vous avez développé une véritable phobie de l'Éducation nationale qui vous a fait connaître :

... la lecture globale. Grâce à quoi, Balthazar écrit phonétiquement. Un mot : une faute! L'Académie française a dû l'admettre.

... la dictature des maths et le stress de ne pas comprendre des phrases telles que : « le quotient du naturel C par le naturel non-nul B est le nombre rationnel q par lequel il faut multiplier b pour obtenir c »...

... le dédain de la chronologie historique (votre héritier resta longtemps persuadé qu'Henri IV était le fils du Pharaon Aménophis et de la reine Christine de Suède).

... l'abstraction des règles grammaticales où vos chers vieux repères de sujet, verbe, complément ont disparu...

... la lecture de *Cinna*, quatre années de suite, celle de *Germinal* comme « distraction » pendant les vacances de Toussaint (vous avez jeté cette « distraction », remplacée par un Jack London).

... les fiches de police à chaque début d'année scolaire : « Que font tes parents? » Balthazar répondait allégrement : « Pompiers. » « Quels sont tes rapports avec eux? » Réponse de Balthazar : « Ils me battent. » « Qu'as-tu fait pendant les vacances? » Réponse de Balthazar : « J'ai dormi. » « Que souhaites-tu faire plus tard comme métier? » Réponse de Balthazar : « Rien. » Etc.

Puis arriva un jour où une dissertation écrite par vos soins revint avec la mention « n'a rien compris au sujet. Style plat et lourd ». Vous avez alors fait face à la réalité : l'échec scolaire, c'était vous!

Vous avez donc engagé pour « mise à niveau » les profs de l'école qui se succédaient tous les soirs dans votre salon pour des leçons particulières coûteuses mais qui apportaient de meilleures notes à votre fils, grâce à la reconnaissance financière desdits profs.

Ce qui n'empêcha pas Balthazar d'échouer à son bac avec grandeur.

Et le drame éclata.

Il refusa énergiquement de passer une nouvelle année dans les bras étouffants de notre Mère, l'Éducation nationale, et de se représenter l'année suivante à l'examen maudit.

Alexandre se mit à hurler.

Sans cette indispensable peau d'âne, aucun avenir ne s'offrirait jamais à son fils. À part celui de balayeur. Et encore. Balthazar ignorait le ouolof, langue des Sénégalais à balais.

Balthazar serait pensionnaire dans la boîte à bachot qui avait si bien réussi à Pauline.

Balthazar s'enfuit.

Il disparut un soir, purement et simplement, sans un mot, avec son chien Potiron.

Au bout de trois jours, vous aviez vieilli de dix ans.

Téléphoné mille fois aux hôpitaux, aux commissariats de police, au Service des Recherches dans l'Intérêt des Familles. Interrogé tous les dealers des Halles. Insulté Alexandre effondré qui ne répondait pas. Engagé un détective privé. Juré inlassablement à la ronde que votre fils n'était ni drogué, ni caractériel, ni fugueur. Enfin, vous le croyiez...

On retrouva Balthazar dans une prison belge, enfermé avec Potiron, pour délit de vagabondage. Il refusait fermement de décliner son identité et sa nationalité – et celles de son chien – à des gendarmes flamands irrités. Son père partit comme un fou en voiture et, avec l'aide d'une meute d'avocats français, wallons et flamands, parvint à arracher les deux compères à un juge gantois qui les tenait pour des terroristes.

Quand votre fils réapparut sur le seuil de votre appartement, vous lui fîtes jurer sur la tête de Potiron qu'il ne recommencerait jamais à se sauver, sinon il aurait votre suicide sur la conscience. Devant cette menace, il promit, vous embrassa et s'inscrivit gaiement aux Beaux-Arts.

Alexandre se tint coi mais se vengea de subtile façon.

Il déclara qu'il était temps que son fils quitte les jupes de sa mère (c'est-à-dire vos éternels pantalons de flanelle grise) et lui loua un studio avec atelier, à l'autre bout de Paris.

Le départ de votre dernier-né vous bouleversa. Vous avez pleuré tous les soirs pendant une année entière. C'est pire que le désert, une maison brusquement sans enfant.

Curieusement, ce qui vous manquait le plus, c'était ce qui vous avait exaspérée tout au long de votre vie commune : le désordre inouï de Balthazar.

Rien ne vous rendait désormais plus triste que de revenir chez vous et de ne plus retrouver votre appart parsemé de blousons et de tee-shirts jetés par terre, de livres abandonnés çà et là, de baskets sur la commode. (Tiens! Balthazar est rentré!)... Une cuisine aux placards et au frigo ouverts (ah! Balthazar s'est fait un sandwich!)... votre salle de bains avec deux centimètres d'eau par terre dans lesquels trempaient vos serviettes à vous... le brouillard de fumée froide immonde dans la chambre de votre fils...

Là, vous aviez bien essayé de lutter contre la tabagie et son cortège de cancers. Mais votre fils s'était contenté de répondre :

— Tu préfères que je fume du H. ou que je renifle de la cocaïne?

La drogue étant pour vous la terreur absolue, vous aviez abandonné votre combat contre les Marlboro.

Persuadée, telle une mama juive, que votre bébé bien-aimé ne saurait se débrouiller sans vous, vous avez entrepris – en cachette d'Alexandre – des expéditions/commandos chez lui. Vous apportez des paniers de nourriture pour dix prisonniers de guerre. Vous mettez de l'ordre. Balthazar a fait des progrès : il dispose désormais ses affaires en tas. Tas de linge propre – à ranger dans les tiroirs. Tas de linge sale, que vous emportez à laver chez vous dans un vieux sac à dos qui vous fait ressembler dans le métro à une clocharde (une dame vous a donné une fois 5 francs). Tas de journaux à jeter. Tas de mégots camouflés sur le haut de l'amoire (?). Tas de fringues de filles : soutiens-gorge, petites culottes, jeans, etc. Celui-là, vous le laissez en place après un bon coup de pied dedans. Vous n'alignez pas non plus les produits de beauté qui envahissent la minuscule salle de bains de votre fils et vous ricanez quand Balthazar, éternel distrait, vous avoue s'être brossé les dents avec du fond de teint Rubinstein qu'il a confondu avec le dentifrice.

Car votre fils est un grand séducteur. Beau comme un dieu (à vos yeux), charmant, gai, toutes les filles sont – comme vous – folles de lui. Vous en rencontrez parfois des spécimens totalement nus devant un café, dans la kitchenette. Vous saluez poliment. Elles, à peine. Elles vous prennent pour la femme de ménage. Vous ne les détrompez pas.

Vous rigolez – intérieurement – de leur tête quand Balthazar vous les amène ensuite joyeusement à la campagne. Là, vous avez un deuxième test pour les juger : la salade du déjeuner. Certaines ne lèvent même pas leurs petites fesses de serpent pour vous aider à la laver. Vous réagissez sournoisement : « Dis-moi, Balthazar, mon chéri, ta petite copine... elle est handicapée physique ou mentale? » Les malheureuses ne passent pas la semaine. Les autres (celles qui lavent la salade et même préparent le déjeuner), vous les consolerez gentiment quand elles vous appelleront en pleurant parce que Balthazar les aura abandonnées.

La sexualité de vos enfants reste un mystère pour vous.

Ils n'y font jamais allusion et vous, encore moins.

Vous avez pourtant essayé une fois quand Pauline avait dix ans. Le tabou, qui pendant votre enfance et votre adolescence avait entouré les questions sexuelles, vous avait tellement traumatisée que vous vous étiez jurée d'évoquer cette question capitale dès que possible avec votre fille aînée.

Vous saisissez l'occasion d'un tête-à-tête affectueux dans la salle de bains où vous êtes en train de vous maquiller. Pauline surveille vos travaux dans la glace.

– Dis-moi, ma chérie, il serait peut-être bien que... heu... nous ayons, toi et moi, une conversation sérieuse sur le sexe.

Petite Mère n'eut pas l'air émue :

— Le sexe? Ouais! Ouais! T'inquiète pas! Je suis au courant.

— Ah bon! Et comment ça?

— Ben, par les copines et tous les magazines qui traînent ici!

— Ah bon! Mais... heu... si tu veux savoir quelque chose de plus précis, tu me demandes, hein!

— Ouais! Ouais! T'en fais pas. Mais cela ne m'intéresse pas beaucoup, tu sais.

Vous n'avez jamais su quand cela avait commencé à l'intéresser « beaucoup ».

Quant à Balthazar, vous avez confié la mission à son père. Qui se montra absolument consterné à l'idée d'une « conversation entre hommes ». Décidément, vous n'étiez des parents modernes ni l'un ni l'autre. Il vous rapporta ensuite avec égarement que son fils s'était contenté de rigoler et de répondre à son tour :

— Si tu veux parler des cochonneries que font les papillons entre eux, t'angoisse pas, Papa, j'ai des préservatifs américains spécial Sida.

Il se refusa à en indiquer la marque à son père (« tu ne vas pas tromper Maman, tout de même! »).

Vous vivez finalement très bien en ignorant tout des mœurs sexuelles de vos enfants et sans qu'ils sachent rien des vôtres. Du moins, vous le croyez.

En revanche, ce que vous avez trouvé le plus difficile à affronter – après leur départ – c'est l'évolution de vos rapports avec eux. Vous êtes passée du rang délicieux de déesse mère, admirée sur son piédestal, à celui d'adulte contestée comme n'importe quelle vieille copine débile.

La première fois que Pauline a répliqué froidement à un de vos judicieux conseils : « Arrête de dire des conneries, Maman! » vous avez failli tomber par terre. Mais vous n'avez pas osé piper. Foutue, vous étiez. Désormais, elle vous traite joyeusement sans la moindre considération qui s'attache – selon vous – à vos quelques cheveux blancs.

Quant à Balthazar, l'âge venant (le vôtre) il développe une certaine tendance à vous traiter comme sa petite fille à lui. Ce qui vous agace : « Je ne suis pas déjà gâteuse! criez-vous. – Mais non! Mais non! Pas encore! » répond-il tendrement en vous tapotant la tête.

Vous n'avez plus vos parents. Ils sont morts. Vous n'auriez jamais cru que leur disparition – étant donné vos rapports difficiles anciens – puisse provoquer en vous une telle douleur incrédule et violente. Vous vous apercevez aussi que – curieusement – plus les années passent, plus ils vous manquent.

Vous êtes désormais, avec Alexandre, les Ancêtres de la Tribu.

Surtout pour vos petits-enfants.

Vous devez avouer que vous avez été sournoisement ravie de voir Pauline l'Intrépide découvrir à son tour le stress inlassable auquel est soumise la mère de famille normale. Toute sa vie.

... l'angoisse de l'apnée du nourrisson qui fait se lever d'un bond irraisonné la nuit pour aller écouter si le bébé respire encore.

... les pleurs et les fièvres à la cause inconnue (les dents? la colique? une otite? l'appendicite? la méningite? le choléra mortel?).

... les perpétuelles bronchites de Nana, la petite dernière, qui refuse de s'habiller et se promène toujours toute nue avec juste un minuscule sac à la main.

... le désespoir du premier jour à la maternelle et

même des jours suivants. (Votre deuxième petit-fils, d'une voix paniquée : « Baby doit aller école ? Baby... pas peur de l'école ! Non ! » et il serrait courageusement ses petits poings tremblants, le pauvre chéri !)

... les vaccinations, les appareils dentaires, les lunettes, les semelles pour pieds plats.

... les courses folles du mercredi et du samedi après-midi pour transporter les chers petits de leur cours de poterie à celui de kung-fu puis à leur leçon de tennis pour finir par leur heure de flûte.

... la première fois où ils se rendent à l'école tout seuls (et où la mère VOIT dans sa tête la voiture folle les écraser lorsqu'ils traversent le boulevard).

... la crainte du racket des Dépouilleurs qui n'hésitent pas à défigurer les petits « bourges » à coups de cutter, pour leur voler leurs vêtements. Dans la plus grande indifférence du ministre de l'Intérieur.

... la terreur de la drogue offerte par de jeunes dealers jusque dans les cours de récréation. Le ministre de l'Intérieur continue à s'en foutre.

... la hantise de l'accident au moindre retard de Romain, l'aîné, qui a arraché à ses parents, un jour de faiblesse, la permission de circuler en mob.

En attendant... le spectre du Sida, celui du carambolage en voiture... et le calvaire du Bac encore et toujours.

À son tour, Pauline est entrée en guerre contre l'Éducation nationale. Vous devez reconnaître qu'elle manifeste plus de combativité que vous. Elle n'hésite pas à déranger le directeur du Lycée lui-même si elle estime un professeur injuste dans ses notes. À écrire au ministre pour se plaindre de la soi-disant conseillère en Éducation qui l'a menacée hystériquement de renvoyer Romain pour une sombre histoire de mot d'excuse mal rédigé. (« Je vous ferai plier, Madame, je vous ferai plier... ! ») À prendre la parole aux réunions des Parents d'Élèves pour vitupérer la stupidité des programmes, etc.

Vous n'êtes pas sûre que dans cette guérilla épique, ce soit l'Éducation nationale qui gagne. Pour une fois.

Vous reconnaissez – avec un certain sentiment de culpabilité – que Pauline est une bien meilleure mère que vous. Elle suit l'éducation et les études de ses enfants de près, discute des heures avec eux, les emmène en voyage tout en dirigeant d'une main de fer sa boutique, ce qui ne l'empêche pas de passer des soirées en amoureuse avec son Polytechnicien de mari (qui ne la mérite pas, à votre avis. D'accord, vous êtes partiale).

Vous, vous n'êtes même pas une bonne grand-mère.

Vous devez avouer cette triste vérité.

Du reste, si vos petits-enfants vous manifestent une certaine affection, ils ne vous font pas – à votre grand désespoir – de confidences. Or, tous vos chers magazines féminins sont formels : la « Bonne-Maman » idéale est celle à qui ses petits-enfants confient leurs secrets! En ce qui vous concerne, bernique!

Sauf une fois. Romain se laissa aller à vous murmurer :

– Maman est très autoritaire...

– Ah bon!

– Toi aussi, ajouta-t-il, généreux.

Certes, vous avez des excuses. Votre propre vie, encore fort remplie d'occupations, ne vous laisse que peu de temps pour traverser Paris et aller bavarder longuement avec les chères têtes blondes (toutes ravissantes, en plus).

Mais surtout, vous avez depuis toujours un abominable défaut. Une tare à peine avouable. Jouer avec des bambins vous ennuie rapidement. Haro sur vous! Vous vous débrouillez à peine pour danser deux rondes « Nous n'irons plus au bois... » et « Savez-vous planter les choux... avec le nez? ». Vous savez aussi faire sauter les bébés sur votre genou : « À cheval sur mon bidet, je me rends à Rambouillet... au pas... au trot... au galop... Poufff!!! » Mais au bout de vingt fois, ça vous lasse. Certes, vous vous rappelez de votre enfance beaucoup de vieilles chansons françaises mais vos angelots préfèrent écouter Dorothée et Chantal Goya (ils savent, en naissant, brancher la bonne chaîne de télévision).

Dès qu'ils grandissent, à votre vif agacement vous perdez à la bataille navale, au mah-jong et au Trivial Pursuit Junior (à cause du sport : cela vous apprendra à zapper au nom de Platini).

Mais il y a pire. Cela vous embête de vous traîner avec eux au Planétarium, au Louvre, à Beaubourg. Alors, vous n'y allez pas.

Oui. Vous êtes une Mamie indigne.

Vous vous contentez de les emmener déjeuner au Mac Do (vous adorez secrètement les Big Mac bien caoutchouteux), quelquefois au restaurant où ils sont stupéfaits que vous leur interdisiez de boire du Coca-Cola avec le saumon fumé ou le foie gras – arguant du bon goût gastronomique français. Puis vous allez avec eux au cinéma voir des films d'épouvante (*L'Invasion diabolique des vers rouges... Massacre au cutter... La Contre-attaque des vampires fous*, etc.) qui les enchantent mais vous donnent des cauchemars pendant une semaine. Enfin, vous courez les magasins leur acheter des vêtements qui leur plaisent (ce qu'ils savent également depuis leur première salopette : « Non, ze veux pas za : c'est mosse... »), et qui ne sont généralement en vente que dans une seule boutique à Beaugrenelle où vous ne trouvez pas de taxi pour rentrer.

Dieu merci, ils ne sont pas fous du cirque. Que vous détestez depuis qu'à l'âge de cinq ans vous avez vu un clown mettre un adorable petit fox blanc dans une énorme machine, tourner une manivelle et en faire sortir des kilomètres de saucisses. Épouvantée, vous avez poussé de tels hurlements qu'une panique éclata sous le chapiteau. On dut évacuer tous les autres enfants qui s'étaient mis à crier à votre unisson. Le clown supprima son numéro. Le cirque fit faillite. De toute façon, vous n'aviez jamais voulu y retourner.

Votre revanche, ce sont les vacances, l'été, à la campagne.

Dès Pâques, une guerre sournoise éclate entre l'autre grand-mère et vous. Elle possède un appartement très chic sur la Côte d'Azur. Vous, une simple ferme dans les bois. Vous vous êtes ruinée pour faire construire une piscine. Ah mais! Finalement, un *grands-mères agreement* fut trouvé. Vous prenez les petits amours en juillet, elle en août.

Vous accueillez alors une colonie de quatre garçons, chacun de vos petits-fils amenant son copain préféré (la dernière héritière étant jugée trop jeune par votre fille pour être confiée à vos soins distraits).

Certaines années sont plus dures que d'autres. Suivant les copains. Vous avez ainsi hérité une fois d'un jeune snob milliardaire, habitant dans un château classé avec lac privé, chevaux de course et piste de kart. Après quarante-huit heures dans votre bergerie rustique, il se fit rapatrier chez lui par son chauffeur. Horriblement vexée, vous avez alors réclamé à Pauline, un fils de prolo. Qui arriva par l'avion suivant (les enfants maintenant prennent l'avion comme vous l'autobus) mais se fit une spécialité de déposer d'énormes crottes dans l'atelier de votre ouvrier agricole, en accusant le chien-loup. (Indignation de l'ouvrier agricole qui menaça de démissionner et du chien-loup qui disparut pendant deux jours.)

Toujours mue par l'espoir d'être une « Bonne-Maman » idéale et pédagogue, vous emmenez parfois votre petit troupeau dans les collines pour leur apprendre le nom des arbres (votre dada). Ils piétinent avec leurs baskets derrière vous, en répétant d'une voix morne : « pla-ta-neu... é-ra-bleu... chêneu-vert... ».

Le lendemain, ils ont oublié.

Ce qu'ils attendent, c'est la nuit.

Quand vous dormez paisiblement.

Ils ressortent alors de leurs lits et s'installent avec des gloussements de bonheur étouffés devant la télévision. Et si possible, un film classé X qu'ils regardent en mangeant les chips prévues pour deux jours et en buvant la réserve de Coca-Cola de la semaine (vous êtes bonne pour retourner d'urgence au supermarché : trente kilomètres aller/retour).

Le lendemain, vous devez les secouer pour les réveiller à midi. Ils se traînent alors dehors, sans enthousiasme malgré le temps radieux, en vous demandant d'un ton geignard : « Qu'est-ce qu'on va faire aujourd'hui, Mamie ? » Vous proposez piscine, ping-pong, vélos, pique-nique, tennis en ville (trente kilomètres aller/retour). Rien de tout cela ne leur plaît. Ce qu'ils veulent, ce sont des filles. Une année, vous avez carrément racolé dans le pays. Et réussi à inviter une charmante blondinette à goûter avec vos chérubins. Vous n'avez jamais su ce qui s'était passé. La jeune personne a refusé de revenir et ses parents ne vous saluent plus.

Parfois, toujours la nuit, vos angelots se battent. Vous êtes alors réveillée en sursaut à 1 heure du matin par des coups frappés à la porte de votre chambre et l'apparition de Romain, le visage en sang, le menton ouvert par un coup de raquette de ping-pong bien ajusté par son frère. En chemise de nuit, hébétée, vous épongez le sang tout en téléphonant au médecin de garde en ville, puis à la petite clinique pour faire ouvrir la salle d'op, enfin au chirurgien éveillé à son tour en sursaut. Vous emmenez le blessé à 1 h 45 du matin (trente kilomètres aller/retour) se faire poser quatre points de suture.

Quand vous revenez deux heures plus tard, vous retrouvez les trois autres garçons en pleine crise d'hystérie parce qu'un énorme frelon bourdonne à travers toute la maison entièrement éclairée. Vous couchez le blessé et vous poursuivez la bestiole avec une bombe insecticide. À peine est-elle morte qu'un des petits invités se plaint de nausées et de maux de ventre. Allons bon! Une appendicite maintenant! (C'est votre hantise. La peste soit de ces parents qui vous envoient des enfants avec leur appendice.)

– Non! sanglote le jeune malade, c'est une morsure de vipère!

Comment ça, une morsure de vipère! Où? Quand? Comment?

Le jeune Joël vous montre alors triomphalement deux petits points rouges sur son poignet gauche.

Vous avez tout ce qu'il faut dans un casier de votre frigo pour traiter les morsures de vipère mais vous préférez réveiller à nouveau le médecin de garde, pour avoir son avis.

Il soupire. Que le diable vous emporte, vous et vos quatre garnements! Une morsure de vipère maintenant! Où? Quand? Comment?

Il vous attend néanmoins.

Vous repartez en ville (trente kilomètres aller/retour) avec votre deuxième blessé. Le praticien diagnostique une simple piqûre d'araignée et donne à

Joël un quart de Temesta pour calmer son angoisse. L'effet du tranquillisant est foudroyant. Vous ramenez un enfant endormi que vous devez porter dans vos bras jusqu'à son lit. (Vous aurez un lumbago demain. Et des parents indignés au téléphone qu'il y ait chez vous des frelons, des vipères, des araignées. Ils réclameront presque un rapatriement sanitaire de leur fils.)

En attendant, c'est l'aube. Votre maison retrouve enfin provisoirement son calme. Pas vous. Impossible de vous rendormir. Vous prenez la résolution d'engager à l'avenir un légionnaire en guise de baby-sitter.

Mais, hélas, l'année suivante, vos petits-enfants ne viennent passer que quelques jours. Pas le temps d'organiser de vraies fiestas. Leur père (monstre au cœur sec) a décidé de remplacer les rituelles vacances de Pâques dans des familles anglaises par des séjours sportifs et linguistiques dans des camps d'été américains. Mister Polytechnicien vise déjà Harvard pour ses fils.

Seule sur votre rocher silencieux, vous éprouvez un monstrueux cafard. Jusqu'au jour où vous recevez du fond du Wisconsin une carte postale de Romain adressée à « ma chère et bien belle Mamie... ».

D'être traitée de « chère et bien belle Mamie » vous réconcilie avec la vie.

Peut-être, en fin de compte, vos petits-enfants éprouvent-ils une certaine affection pour leur indigne aïeule? Peut-être vous feront-ils un jour leurs confidences? Et même viendront-ils vous apporter des bonbons, avec leurs propres rejetons, quand vous serez bien vieille dans un fauteuil roulant?

Les grands-mères, ça rêve...

CHAPITRE XVI

Un amant.

Vous le retrouvez tous les matins à 5 heures.
Le cœur battant, vous courez au rendez-vous...
... avec votre travail.
Avec lui, vous menez secrètement une double vie.
Tellement intense que, par moments, vous ne savez
plus quelle est votre existence véritable et qui en sont
les personnages réels.
Vous ne travaillez pas, vous aimez.

Hélas, après des mois de passion folle, vient le
moment redouté.
Présenter votre enfant au monde.
Le calvaire commence.
Dans le cas où vous avez écrit une série de télévision, vous avez à la soumettre – encore et toujours –
à des producteurs, des metteurs en scène, des acteurs,
tous joyeusement et fermement persuadés, qu'ils sont
de meilleurs auteurs que vous. Les critiques pleuvent
en averse drue. Vous vous sentez nue et fragile
comme une langouste sans carapace. Vous êtes sauvée par le fait que tous ces fâcheux n'arrivent pas à
se mettre d'accord entre eux et finissent, avec lassi-

tude, par adopter votre texte (enfin, celui qui a été réécrit cinq fois). Cela vous prend parfois des années.

Vous préférez écrire un livre que vous remettez quand même avec angoisse à votre éditeur. Il vous téléphone le week-end suivant qu'il l'aime beaucoup et vous tartine de compliments. Que vous adorez.

Vous vous sentez joyeuse comme un rosier en fleur.

Ensuite, parfois, vous recevez des journalistes. Généralement des jeunes femmes charmantes. Vous pouvez enfin parler, parler, parler avec passion, de votre amant et de votre bel enfant de l'amour.

En revanche vous détestez les séances de signatures. Vous avez de terribles souvenirs de vos débuts littéraires où pas une lectrice ne se présentait. Vous passiez des heures entières, abandonnée derrière une table, avec vos piles de livres, dans un coin de librairie ou pire aux Galeries Farfouillettes. Des dames venaient vous demander où se trouvaient les toilettes (vous saviez : vous y alliez toutes les cinq minutes) ou vous dévisageaient sous le nez, déçues : « Tiens ! je ne la voyais pas comme ça ! »

Vous avez maintenant un peu plus de succès. Mais toujours des contrariétés. À Bruxelles, après avoir fait longuement la queue, une lectrice a découvert que vous n'étiez pas Françoise Dorin. Elle vous a jeté votre bouquin à la tête en hurlant : « Ce que c'est mal indiqué ici ! Ce n'est pas possible ! » Une autre vous a supplié de signer Jeanne Bourin.

Cette agitation finit par cesser. Vous retrouvez la solitude de votre bureau, comme un bernard-l'hermite celle de sa coquille. Et vous répondez aux lettres réconfortantes de vos amies lectrices ou furieuses de certains membres de l'Éducation nationale... Vous entretenez une correspondance suivie avec un vieux papet gascon qui vous envoie de l'Armagnac du fond de sa ferme et une jeune femme canadienne qui vous tient au courant de tous les événements de sa vie.

Mais surtout, surtout, vous reprenez votre tête-à-tête passionné avec votre amant.

Vous entamez un nouveau livre.

Vous vous refusez ABSOLUMENT à envisager qu'un jour vous ne serez peut-être plus capable d'écrire.

Plutôt mourir, clac, écroulée sur votre machine portative. C'est ça qui serait chic!

CHAPITRE XVII

Une maison de campagne.

Un jour, Alexandre et vous, vous êtes tombés d'accord. Ras-le-bol des voyages. Pourtant, vous avez adoré faire le tour du monde avec lui. Vous avez admiré la main dans la main des couchers de soleil sublimes sur le lagon de Bora-Bora. Vous avez abordé dans une île vénézuélienne inconnue où l'hôtel prévu n'était pas encore construit et où vous avez dû dormir sur la plage, au milieu des tortues de mer. Vous vous êtes perdus au cœur du Japon où pas un être humain ne parlait français ni anglais : l'armée a dû vous rapatrier. Vous avez loué une goélette dans les Grenadines avec les enfants. Pauline s'est fait piquer par un poisson venimeux et vous n'avez trouvé, pour soigner son pied noir et enflé, qu'un unique flacon de Synthol dans une case-pharmacie vide à la Dominique (ça a marché!). Vous avez parcouru le Mexique, accompagnés d'un orchestre de *mariachis*, loué par l'Homme à la descente de l'avion. Vous avez assisté à une représentation d'*Aïda* dans les ruines d'un temple égyptien où le lion de la troupe a failli dévorer la chanteuse. Vous avez perdu Balthazar à trois ans au Parc de Walt Disney en Floride et cru mourir d'angoisse au milieu d'un million de personnes, jusqu'à ce que vous le retrouviez par hasard dansant avec un énorme Mickey. Vous avez attrapé des amibes sur le bord de la mer Rouge où un médecin arabe a surgi du désert, suivi d'une infirmière en tchador noir qui vous a piqué haineusement les fesses. (Vous avez eu si peur et si mal que vous avez guéri net.) Vous avez traversé la taïga russe en train, en buvant des litres de thé fourni inlassablement par une babouchka rivée à son samovar. Etc.

Et puis, un jour, aux Maldives, dans une île soi-disant déserte, vous n'avez pas pu faire la sieste parce que, devant votre bungalow, des garagistes de Perpignan jouaient bruyamment aux boules.

Vous n'avez rien contre les garagistes de Perpignan ni contre la pétanque. Mais Alexandre vous fit remarquer que les voyages n'étaient plus ce qu'ils étaient.

Terminés les temps héroïques où vous étiez seuls à vous promener dans l'oasis de Ghardaïa (ah si! il y avait aussi Simone de Beauvoir enroulée autour d'un monsieur qui n'était pas Sartre, ce qui vous avait beaucoup choquée). Le monde entier semble désormais atteint de bougeotte. On rencontre plus de touristes que de palmiers à Marrakech ou que de baleines bleues en Basse-Californie. Les avions sont bourrés même fin janvier et les hôtels pleins l'année durant de charters de toutes nationalités. Il n'est plus possible de trouver un coin inconnu de Nouvelles Frontières ou de Kuoni ni d'admirer l'aube sur l'Ana-purna, sans être entourés d'un groupe piaillant du troisième âge, voire du quatrième.

Alexandre décida d'arrêter de tourister en foule et de vous laisser acheter une ferme perdue dans le désert de la campagne française.

L'heure était venue de réaliser un des rêves de votre adolescence : avoir votre maison à vous.

Justement, le château de votre enfance était à vendre. Pour une bouchée de pain.

– Pas de château! cria l'Homme, les toitures coûtent une fortune à entretenir et je n'ai pas une gueule à jouer les châtelains.

Vous décidez néanmoins d'y aller voir, d'un coup de voiture.

La demeure de vos ancêtres avait été vendue quelques années auparavant par votre chère cousine Isaure – qui en avait hérité – à une blanchisseuse de Pigalle. Une blanchisseuse! Et de Pigalle en plus! La Famille protesta violemment.

– Justement... de Pigalle! se défendit Isaure, elle a plein d'argent à force d'avoir lavé les draps des hôtels de passe voisins.

La blanchisseuse lui avait fait ses confidences :

– Voilà, Madame la Marquise, on m'a fait la totale, l'année dernière! Et, à l'hôpital, quand on m'a endormie, je me suis jurée : « Ginette! Si tu t'en sors, tu vends la blanchisserie et tu t'achètes un château...! »

Douze mois plus tard, suivant son vœu, elle acquérait la propriété de famille où personne n'allait plus depuis la mort de votre grand-mère.

Madame Ginette avait de grands projets. Monter l'eau courante dans les chambres du premier étage (les femmes de chambre qui trimballaient les brocs d'eau chaude dans les cabinets de toilette avaient disparu avec la guerre). Installer le chauffage central (luxe inouï pour une baraque de cette taille). Et surtout creuser une piscine en sous-sol, à la place de la gigantesque cuisine où s'agitait Louise, telle une sorcière au milieu de ses chaudrons (Grand-Mère la gardait, malgré son ivrognerie, parce qu'elle était la meilleure cuisinière de Paris). L'idée d'une piscine ultramoderne dans les sous-sols d'un château du XVIIIe stupéfia la famille. Jusqu'au moment où Madame Ginette révéla que c'était pour distraire Monsieur Paulo, son gigolo. L'idée vous effleura que les fantômes horrifiés de votre cher grand-père si snob et de votre chère grand-mère si pieuse allaient noyer Monsieur Paulo.

Mais rien ne se passa et personne n'en parla plus.

Jusqu'au jour où vous avez appris par une lettre de votre copine d'enfance, Fernande, la fille du garde-chasse, que Madame Ginette voulait revendre le château.

En chemin, vos souvenirs d'enfance affluent.

Votre vie, l'été, dans cette grande propriété était fabuleuse. Libre et sauvage. Contrastant avec celle, austère et rigide, de Paris.

Dès le réveil, après la prière du matin – à genoux en chemise de nuit, au pied du lit – vous avaliez votre petit déjeuner avec Mademoiselle. Toilette dans la cuvette en porcelaine à fleurs. Vous alliez ensuite embrasser vos grands-parents dans leurs chambres et zou! dehors par tous les temps avec la chère Fernande et Ida, sa sœur, qui vous attendaient en jouant aux osselets, près de la porte de la cuisine.

Votre grand-père avait des vues très précises sur le choix de vos amies. Soit elles faisaient partie de Notre Milieu (généralement des cousines). Soit il s'agissait des filles du garde-chasse, des fermiers, du jardinier. Bref, du Peuple. Mais interdiction d'inviter de jeunes représentantes de la Bourgeoisie, même « bien-pensantes », et vos compagnes de classe au couvent du Sacré-Cœur. Les Bourgeois, c'était simple, on ne les recevait plus depuis la Révolution.

Donc, en compagnie de Fernande et d'Ida, vous passiez des heures merveilleuses à traire les vaches, baratter le beurre à la main, donner la pâtée à d'énormes cochons (qui vous terrifiaient mais vous seriez morte plutôt que de l'avouer), attraper les mulots à la main dans les champs, ramasser les champignons blancs des prés, braconner les goujons et l'ablette dans la rivière avec des bouteilles dont vous cassiez précautionneusement le cul avec une pierre, grimper aux arbres comme un singe (malgré le corset à baleines de fer que vous portiez tout au long de l'année pour vous donner la silhouette droite et la taille fine des demoiselles de bonne famille). Etc., etc.

Bref, le bonheur.

Vous parvenait à midi et demi le son de la première cloche du déjeuner. Vite ! Vite ! Rentrer en courant. Se changer. Se laver les mains. Se coiffer. Se présenter dans le petit salon, haletante mais pile au son de la deuxième cloche. Pas question d'être une seule minute en retard, même pour les cousins plus âgés. Grand-Père tirait alors sa montre de son gousset et foudroyait d'un regard terrible le coupable. Qui s'excusait, tête basse. Déjeuner. En silence pour vous : les enfants n'avaient pas le droit de parler à table ni même, d'une façon générale, d'adresser les premiers la parole aux adultes. Vous contempliez, fascinée, l'immense tableau sur le mur de la salle à manger où, derrière la tête de Grand-Mère, trois aigles dont l'un de quatre mètres sur trois, ailes déployées, l'air féroce, s'apprêtaient à déchiqueter une malheureuse biche étendue dans son sang. Ce tableau terrifiant qui accompagnait vos repas représentait : *Le Partage de la Pologne*.

Café dans la bibliothèque avec son autre tableau géant, dramatique lui aussi : un ancêtre grandeur nature, astronome de Louis XV, agonisant de la fièvre jaune, en la lointaine Amérique, au milieu d'Indiens consternés. Votre grand-mère se refusait à faire réparer le trou, œuvre d'un cousin turbulent – huit jours au pain sec et à l'eau –, car elle détestait cette peinture à cause des seins nus des Indiennes qu'elle jugeait inconvenants. Mais Grand-Père tenait à son aïeul, une gloire de sa famille. Vous passiez le sucrier aux buveurs de café et après avoir demandé poliment à vos grands-parents la permission de vous retirer, vous vous élanciez comme une folle au-dehors où vous attendaient toujours patiemment Fernande et Ida.

Et vos vagabondages reprenaient. Souvent jusqu'aux fermes voisines. La Roche-Blanche aux énormes percherons de concours où le métayer vous hissait gentiment sur le dos de monstres si larges que vous aviez de la peine à les enfourcher. Le Petit-Moulin à la cressonnière où vous traquiez la salamandre jaune et verte. La Grange-aux-Oies où la patronne vous donnait pour votre goûter de sublimes tartines de pain fait à la maison recouvertes d'une épaisse couche de rillettes, etc.

Parfois, vous empruntiez la vieille barque sur la rivière et vous ramiez à travers les nénuphars jusqu'aux ruines d'un vieux château fort où, disait la légende, Jeanne d'Arc était venue (que faisait-elle dans ce coin-là? Mystère) et avait enterré son armure en or dans un souterrain. Ce trésor vous hantait. Vous vous acharniez à creuser frénétiquement çà et là de vagues trous avec une bêche volée à Monsieur Alphonse, le jardinier, qui poussait des cris de fureur et vous poursuivait avec sa fourche, ses sabots et son grand chapeau de paille qui s'envolait au vent.

Cris et appels de Mademoiselle. Pour vous. Retour au château avec votre robe en piteux état, vos sandales boueuses et vos poux. Ou plutôt ceux de Fernande et d'Ida. Mais Grand-Mère qui n'aurait pas accepté un pou parisien dans votre sage chevelure admettait ceux-là : c'étaient les poux de Nos Gens. Mademoiselle vous frictionnait la tête avec de la Marie-Rose et on n'en parlait plus. Toilette du soir dans le tub rempli par les brocs des infatigables femmes de chambre. Chapelet récité à haute voix avec Grand-Mère et Mademoiselle, très pieuse elle aussi. Dîner. Toujours en silence et toujours face aux aigles déchiquetant la Pologne. Et, à 9 heures précises, la phrase redoutée (en français ou en anglais) : « Il est temps d'aller au lit. »

Comme tous les enfants du monde, vous essayiez de traîner en embrassant longuement chaque membre de la famille présent.

– Allons ! Allons ! faisait doucement Grand-Mère quand elle jugeait que vos chatteries avaient assez duré.

Vous montiez vous coucher dans votre petite chambre où Mademoiselle vous abandonnait après la prière du soir – toujours à genoux, en chemise de nuit, au pied du lit – et un dernier baiser. Vous restiez seule à écouter les craquements de la maison, les chuchotements des fantômes et même la voix de Jeanne d'Arc vous parlant du trésor (avec son armure, il y avait sûrement aussi son casque, peut-être même son épée...).

Le mardi était un jour différent des autres.

Votre grand-mère recevait.

Depuis la veille, branle-bas de combat. On s'affairait à faire le ménage à fond du grand salon. Jacques, le maître d'hôtel, frottait l'argenterie. Louise, rouge, échevelée, éructante, fabriquait à la chaîne – avec ses filles de cuisine – petits fours et biscuits (en particulier des sablés sublimes dont vous n'avez jamais retrouvé le goût). Si elle était de bonne humeur, elle cédait à vos supplications et vous donnait une poignée de gâteaux pour vous et vos compagnes de jeux.

Après le déjeuner, le cauchemar commençait.

Mademoiselle vous habillait d'une robe de soie marron puce hideuse, avec une collerette de dentelle à la Louis XVII et un gros nœud de satin, des chaussures vernies noires et de hautes chaussettes blanches.

Et, postée sur le perron, derrière Grand-Mère, vous l'aidiez à accueillir les invités, les châtelains des environs. Révérence à droite, révérence à gauche. Arrivée d'énormes monstres baptisés voitures (Chenard, Panhard-Levassor, Dion-Bouton, Bazelaire, etc.) dont les chauffeurs se réunissaient près des écuries pour papoter entre eux sur leurs maîtres.

Après-midi redoutable où vous deviez vous conduire comme une petite fille modèle de la Comtesse de Ségur, aider à servir le thé, faire semblant d'écouter des conversations mondaines, en rêvant devant l'énorme tableau du grand salon où une gigantesque Judith brandissait triomphalement la tête d'Holopherne dégoulinante de sang. (Le goût de vos ancêtres pour les tableaux immenses et effrayants restera toujours pour vous un mystère.)

Parfois, une fillette de votre âge surgissait d'un château voisin (jamais de garçon, ç'aurait été déplacé). Habillée, elle, d'une robe à fleurs et à smocks, assortie parfois d'une culotte dans le même tissu en forme de bloomer. Le chic fou! Vous en étiez verte de jalousie. Vous demandiez sournoisement la permission d'emmener la jeune invitée jouer dehors. Où vous la poussiez dans la rivière...

Cris désolés des mères à votre retour, trempées, boueuses et ravies. Gronderie de Grand-Mère : « Cette enfant est un garçon manqué », et surtout privation de dessert pour le dîner. Ce qui vous désolait car vous étiez particulièrement gourmande des Iles Flottantes aux Pralines et des Nègres en Chemise de Louise. (Vous n'avez jamais retrouvé la recette du Nègre en Chemise.) La seule chose que vous haïssiez était les épinards – dont votre grand-père était fort friand – servis dans un plat d'argent avec de petits croûtons frits au beurre et du sucre en poudre. Votre dégoût était tel qu'une fois vous avez refusé de les avaler. Vos grands-parents restèrent impassibles devant cette rébellion inouïe. « Vous n'aurez rien d'autre à manger, Mademoiselle, tant que vous n'aurez pas fini intégralement vos épinards », fut leur seul commentaire.

Vous êtes restée butée devant les abominables légumes...

... qui vous furent représentés – froids – le lendemain au petit déjeuner (à l'exclusion de toute tartine beurrée)...

... puis au déjeuner...

... puis au dîner...

... Au bout de deux jours, affamée, vous avez craqué. Et avalé cette cochonnerie d'herbes. Que vous avez vomie immédiatement. Vos grands-parents n'émirent aucune remarque. Le principe était sauf. Les petits enfants doivent manger de tout.

Le dimanche, la Famille – y compris votre mère quand elle était de passage et bien qu'elle fût fort peu pratiquante – descendait au complet à la messe du village. (Grand-Mère adorait s'y rendre dans une vieille calèche doublée de satin bleu tirée par le cheval Pompon, et vous emmenait dans cet équipage qui vous grisait.) À l'église, on s'entassait sur les bancs recouverts de velours rouge qui étaient réservés « aux gens du château », près du chœur. Et, à la communion, tout le monde montait vers l'autel, telle une légion romaine attaquant Alésia, sous l'œil vigilant de Grand-Mère qui comptait mentalement les absents. Sûrement en état de péché mortel. Oui, mais lequel?

Le drame de votre aïeule : le garde-chasse de Grand-Père, le cher Monsieur Pellat – qui faisait aussi office de cocher – était non seulement républicain mais anticlérical... et s'installait, le temps de la messe, au café du Lion d'Or. Grand-Père, malgré les objurgations de sa dévote de femme, refusait fermement de le renvoyer. Vous n'y pensez pas, Antoinette, c'est un fort brave homme malgré tout, un excellent garde-chasse et « sa Famille est dans la Nôtre depuis cent ans ! ». Grand-Mère devait se contenter de remonter dans la calèche, les lèvres pincées, les yeux pleins de reproche pour le mécréant.

Après la messe, Monsieur le Curé « montait déjeuner au château ». Louise servait ce jour-là du bœuf en gelée aux carottes (« il adore ça et il ne doit pas en manger souvent, le pauvre »). Votre grand-père et lui devisaient aimablement à table, d'autant plus sereinement que votre aïeul se rendait le samedi après-midi dans un bourg éloigné pour se confesser à un autre curé avec qui il ne déjeunait pas le lendemain. Vous vous êtes toujours demandé quels affreux péchés pouvait bien commettre le brave homme.

Tous les jeudis après-midi, Grand-Mère visitait l'hospice du village et vous deviez souvent l'accompagner, porteuse de paniers emplis de gâteaux et autres douceurs et de châles en laine noire tricotés inlassablement par votre aïeule.

La vision de toutes ces pauvres petites vieilles, égrotantes, baveuses, hébétées et sentant mauvais, vous bouleversait. Vous laissant à jamais une hantise : ne pas finir vos jours dans cette promiscuité ignoble avec d'autres malheureuses créatures déchues de toute dignité.

Vos enfants ont beau vous jurer que de tels mouroirs ont été remplacés par de belles maisons de retraite, claires et joyeuses, vous n'arrivez pas à les croire.

À chacun de vos anniversaires, vous leur faites jurer qu'ils ne vous abandonneront pas quand vous serez une misérable chose au râtelier branlant, incontinente et radoteuse. Ils rient et vous donnent leur parole d'honneur que vous serez choyée et entourée jusqu'à votre dernier souffle. Mais la peur glacée a pénétré jusqu'à votre moelle. Vous vous ruinez en assurances-vie qui doivent vous permettre – en principe – de finir vos jours chez vous. Dans votre lit, dans des draps bien blancs, en souriant à vos enfants. Et non dans un dortoir crasseux au milieu de débris humains inconnus. Ou encore, à l'hôpital dans le coma, percée de tuyaux, où l'on vous « prolongera » sous prétexte de vous soigner. Pendant que vos descendants n'en pouvant plus rêveront, sans l'avouer, de vous « débrancher ».

Quelle grand-mère, à l'heure actuelle, emmène ses petits-enfants visiter les pauvres et les vieux? Aucune. Même pas vous. Qui vous contentez d'envoyer de loin des chèques aux organisations caritatives. On a peut-être tort de se moquer des « bonnes œuvres » de nos charitables ancêtres.

Naturellement, vous faisiez, en ce temps-là, des bêtises comme tous les enfants. Un jour, avec Fernande et Ida, vous avez libéré le taureau de son enclos qui partit faire sa cour à toutes les vaches des environs. Drame. Grand-Père et ses fermiers mirent la journée à le rattraper. (Pas question d'appeler les Pompiers, modestes représentants mais représentants tout de même d'une République honnie.) Vous fûtes fouettée. Non tant à cause du taureau libéré mais pour avoir essayé maladroitement de prétendre que ce n'était pas vous. (Vous étiez terrorisée par la perspective du châtiment.) Grand-Père se fâcha tout rouge : « Le mensonge est une lâcheté, Mademoiselle, et nous n'admettons pas de lâche dans la famille. » Dix coups de cravache sur les fesses. Plus huit jours

279

au pain sec et à l'eau, enfermée dans votre chambre. D'où vous pouviez apercevoir Fernande et Ida gambadant dans leur cour. Car elles n'étaient pas punies, elles. Grands-Père vous l'avait bien fait remarquer : « Vous avez le privilège de la naissance, Mademoiselle. Vous avez donc le devoir de donner le bon exemple aux autres. Vous êtes châtiée, vous seule, quand vous donnez le mauvais. »

Cette injustice sociale – qui jetterait actuellement dans la rue une manif entière de partisans des Droits de l'Enfant – vous semblait naturelle.

À la Saint-Michel, deux événements d'importance.

D'abord, on tuait monsieur le Cochon.

Dès l'aube, vous étiez réveillée par les hurlements de la pauvre bête. Qui vous faisaient cacher la tête sous votre oreiller en pleurant. Après tout, c'était un de vos cochons, nourri par vous. Lorsque les cris d'agonie s'étaient tus, vous vous précipitiez dans la cour de la ferme où une agitation folle régnait. Lucienne, la femme du garde-chasse, avait pris la tête d'un commando de fermières des environs. On dépeçait la bête fumante. On faisait le boudin dans d'immenses bassines de sang frais. On cuisait les jambons. On hachait la viande pour les saucisses, etc. Les chiens de chasse, rendus fous par l'odeur, hurlaient dans leur chenil. Au déjeuner, Louise servait votre plat préféré : les oreilles de la bête grillées, délicieusement craquantes sous la dent. (Vous n'en avez jamais remangé depuis.)

Pendant ce temps-là, Grand-Père recevait les fermages. Installé dans son petit bureau, il discutait avec les métayers qui, en longue file, se présentaient avec leurs comptes. Toujours désastreux. « Il a trop plu, cette année, Monsieur le Baron... »... « Il a fait trop sec, cette année, Monsieur le Baron... » « Mes

280

vaches ont été malades cette année, Monsieur le Baron, et ma femme aussi... » Etc.

Grand-Père hochait la tête avec compassion et acceptait une oie ou deux canards dans un panier ou même un petit cochon criard, en paiement de la dette. La cour du château ressemblait à un foirail et, au dîner, Grand-Père se plaignait d'être ruiné et répétait solennellement sa phrase traditionnelle : « La façon la plus rapide de se ruiner est le jeu; la plus agréable, les femmes; la plus sûre, la terre. » Il se ruina en effet et ruina la banque de famille qu'il présidait.

Puis venait le jour désolant où, l'été fini, vous deviez regagner Paris. On remettait les housses blanches sur tous les meubles. On fermait fenêtres et volets. On remontait dans la Minerva avec armes, bagages et argenterie de famille.

Les merveilleuses grandes vacances étaient terminées.

Pourquoi ne pas les revivre, ces moments heureux, et les faire connaître à leur tour à vos enfants et petits-enfants? pensez-vous, en tournant dans l'étroit chemin menant à la propriété.

Quand vous arrivez à l'entrée du château, surprise! La grande grille portant les armoiries ancestrales a disparu... (vendue?). À la place, un affreux portail de bois blanc avec un interphone. Vous appuyez sur le bouton. Une voix féminine et inquiète vous répond. Vous expliquez qui vous êtes et la raison de votre venue.

Le portail s'ouvre.

Spectacle sinistre. Il manque la moitié des vieux tilleuls de la magnifique allée menant à la maison. Ils gisent par terre, en train de pourrir. La roseraie dont votre grand-père était si fier a disparu. Les herbes folles ont envahi le tennis où jouaient vos cousins dans d'élégants costumes de flanelle blanche. Il n'y a plus d'allées au sable fin, ratissées tous les matins par Monsieur Alphonse dont le crissement du râteau berçait votre réveil. Çà et là, des clôtures en fil de fer barbelé quadrillent ce qui n'est plus un parc.

Le majestueux perron aux pierres désormais disjointes est recouvert par une curieuse gloriette en verre qui défigure la façade XVIIIe en brique rose.

Sur la dernière marche, Madame Ginette vous attend. Solennelle.

Vous pénétrez dans le grandiose hall d'entrée.

Il est totalement vide.

Pire. Reste la trace des meubles enlevés par votre famille. Dont celle de l'immense tableau terrifiant (une fois de plus) et que vous aimiez particulièrement du Massacre des Saints Innocents, avec enfants décapités, mères se tordant les mains, soldats romains brandissant des épées sanglantes, etc.

Une affreuse odeur vous fait émerger de votre nostalgie. Malgré ce qui vous reste de bonne éducation, vous ne pouvez vous empêcher de demander à haute voix :

— Qu'est-ce qui pue comme cela ?

— Mes chats ! J'en ai une vingtaine. Ce sont mes petits compagnons, répond d'une voix geignarde Madame Ginette.

Vous constatez alors avec horreur que tous les bas des ravissantes portes Louis XVI ont été découpés de chatières pour permettre les allées et venues des félins.

Madame Ginette vous entraîne dans le petit salon.

Les canapés, les fauteuils, les rideaux en tissu à fleurs de votre grand-mère ainsi que la bibliothèque grillagée Louis XV de votre grand-père ont disparu, remplacés par un étroit lit en fer et une table en formica avec deux chaises de cuisine. Où vous vous asseyez avec Madame Ginette.

La pauvre a bien des malheurs. Elle a découvert trop tard combien la baraque était immense. Coûteuse, l'installation de l'eau dans les étages. Ruineuse, celle d'un chauffage central. Monsieur Paulo l'a abandonnée avant qu'elle ait pu construire sa piscine dans la cuisine. Le silence de la campagne le rendait dingue. La malheureuse blanchisseuse de Pigalle a transformé l'office en kitchenette et s'est repliée dans le petit salon devenu chambre et living à la fois et chauffé par un minuscule radiateur électrique. Elle vit là, seule avec ses vingt chats dont les litières sentant le pipi sont disposées dans la grande salle à manger, vide elle aussi. (Heureusement que votre cher grand-père est mort : il n'aurait jamais supporté pareil spectacle.)

Personne ne l'aime ni ne veut venir travailler pour elle, gémit Madame Ginette. Pourtant, jure-t-elle, elle a essayé de continuer la Tradition de votre Famille. Promenades dans les fermes. Visites à l'hospice. Invitations du curé à déjeuner tous les dimanches (cassoulet en boîte sur table en formica). Et même soutien à l'École libre à laquelle votre pieuse grand-mère tenait tant, etc.

Rien à faire.

Le village la snobe.

Elle en a assez. Elle veut rentrer à Pigalle avec ses vingt chats.

En écoutant sa longue plainte désolée, vous regardez au-dehors par les immenses portes-fenêtres donnant sur le parc. Enfin, l'ex-parc.

Vous n'en croyez pas vos yeux.

Plus un arbre.

Disparus les cèdres centenaires, les marronniers aux fleurs blanches et roses, l'immense sapin où vous aviez construit une cabane en planches et les catalpas aux feuilles veloutées autour du bassin où coassaient les grenouilles que vous essayiez inlassablement de pêcher avec un chiffon rouge.

— Où sont les catalpas? criez-vous.

— Les quoi?

— Les grands arbres, là, qui entouraient le bassin de pierre et sa fontaine d'angelots cracheurs d'eau...

— Ah! dit Madame Ginette avec satisfaction, j'ai tout fait raser! Pour avoir une belle vue sur la colline d'en face...

Vous découvrez avec effroi le lointain coteau dont vous ignoriez l'existence derrière la forêt et qui est recouvert d'horribles petites maisons basco-béarnaises... en plein pays angevin!

Vous vous levez d'un bond.

— Je ne veux plus acheter.

— Mais je vous ferai un prix! La moitié! Puisque c'est votre château de famille (Madame Ginette est une brave femme). Restez dîner. On causera.

Vous vous sauvez sans vouloir rien entendre.

La maison de votre enfance, elle est désormais dans votre souvenir. Fière, belle, joyeuse. Cette carcasse vide et malodorante, dans un paysage lugubre, vous allez l'oublier. À jamais.

Et vous bâtir votre propre maison à vous.

Vous vous contentez d'acheter une grande ferme abandonnée depuis des années, entourée de vignes et de collines boisées jusqu'à l'horizon. Les ronces grimpent jusqu'au toit écroulé. Il vous faut quinze jours pour débroussailler un chemin jusqu'à la porte. Mais les murs sont épais d'un mètre, donnant à la demeure un air de forteresse allongée sur son rocher.

Au fil des années et des travaux, vous vous êtes mise à l'aimer comme une personne humaine. Cabocharde, toujours prête à vous jouer des tours, réclamant une attention permanente.

Vous devez, par exemple, mener une bataille incessante contre l'eau. À n'importe quelle époque de l'année, il y a toujours un WC qui coule ou un robinet qui fuit. Vous appelez au secours le plombier qui habite en ville (trente kilomètres aller/retour) et vous promet de venir dès qu'il aura fini de déjeuner avec ses beaux-parents. Il arrive deux jours plus tard. La pluie, elle, s'infiltre sous les portes ou tombe dans votre grande pièce grâce aux tuiles qui se déplacent vicieusement, même sans vent. Le maçon qui habite également en ville (trente kilomètres aller/retour) ne peut venir d'urgence parce qu'il a un chantier. (Il apparaîtra en même temps que le plombier et les deux hommes auront une longue discussion politique.) Le chauffage central est caractériel. Certaines pièces sont surchauffées, les escaliers glacés. Les boîtes d'allumettes disparaissent au moment d'allumer le gaz pour le déjeuner. Inutile de faire trente kilomètres pour le premier débit de tabac : il est implacablement fermé entre le carillon de midi et celui de deux heures. De toute façon, il ne reste plus de gaz non plus dans la bouteille. Pas de frites pour le déjeuner mais des sandwichs au pâté pour tout le monde.

Votre maison est pleine d'animaux. Souris qui grignotent sans cesse vos matelas et les piles de linge dans l'armoire, malgré le blé empoisonné que vous répandez partout et qui constitue leur dessert. Loirs qui galopent sur vos poutres et adorent s'installer en famille, au-dessus de votre tête, pour regarder la télévision. Une chouette s'est même prise d'affection pour vous. Nichée dans un chêne en face de votre chambre, elle ululait inlassablement les potins de la forêt. Vous ululiez en réponse. Vous l'emmeniez même se promener en voiture, ce qu'elle adorait, perchée sur le siège à côté de vous. Jusqu'au jour où vous avez appris qu'on commençait à murmurer au village que vous étiez une sorcière. Vous avez craint qu'on ne vous brûle. Vous avez cessé de hanter les petites routes la nuit, avec votre chouette. Furieuse, elle disparut.

Vous avez aussi, comme l'on sait, des araignées que vous laissez tisser tranquillement leurs toiles et manger les moustiques. De gros scarabées *cerfs-volants* avec d'immenses mandibules courent la nuit sur vos murs crépis à la chaux. Au grand effroi de vos copines parisiennes qui hurlent de terreur à la vue de ces pauvres et innocents insectes. Pour les terroriser davantage (vos copines, pas les scarabées *cerfs-volants*), vous leur racontez – ce qui est vrai – que vous avez déjà trouvé deux fois des petits serpents dans votre salle de bains. Vous ne les revoyez jamais. Les copines. Les serpents, si. En particulier, une grosse couleuvre nommée Germaine qui habite tranquillement dans le carré d'iris.

Votre maison n'est jamais impeccable. Poussière, traces boueuses des pattes de chiens, bottes abandonnées çà et là.

Mais telle quelle, vous l'adorez. Avec ses énormes cheminées – et fours à pain – où vous faites de grands feux, l'hiver, et devant lesquelles les chiens s'écroulent de bonheur. Ses bibliothèques débordantes de livres dans toutes les pièces. Les meubles anciens et les tableaux de vos grands-parents que vous avez pu récupérer dans la famille. En particulier l'aïeul agonisant au milieu des Indiens et les aigles déchiquetant la Pologne (à noter qu'aucun ne terrorise vos petits-enfants blasés par les films d'épouvante). Votre immense bureau (une bergerie pour trois cents moutons) donnant sur la vallée. Ses terrasses où vous vous étendez aux heures brûlantes de la sieste, en été, sous les tonnelles de glycines mauves que vous avez plantées.

Ses bois où vous vagabondez avec les chiens, en

suivant les traces des sangliers, et où vous vous collez des indigestions de fraises sauvages dans un chemin que vous tenez secret. Ses vignes pour lesquelles vous tremblez tout le temps. (Il gèle à la floraison : pas de récolte. Il pleut trop : attention au mildiou. Il fait sec : la vendange sera de qualité mais de peu de quantité. Il grêle : désastre total.) Ses arbres que vous plantez par centaines, tous les hivers.

Votre grand-père vous a transmis la folie des arbres. Vous mettez des cyprès partout (votre paysage devient toscan) des tilleuls, tous les fruitiers possibles, des catalpas – bien sûr, pour réparer le massacre de Madame Ginette – des peupliers le long des ruisseaux, des cèdres – pour remplacer ceux que vous n'avez pas vus au Liban mais qui poussent si lentement que vous ne les verrez pas non plus sur les collines, peut-être vos petits-enfants? – des sorbiers des oiseleurs au nom si poétique, et même des néfliers (qui mange encore à Noël des nèfles à la délicieuse purée marron?). Etc.

Oui, votre brave maison, c'est votre paradis. Où vous accueillez l'Homme de votre vie et toute votre famille, à votre tour. Mais où vous adorez vivre seule dans un immense silence, surtout en hiver quand les petits-enfants ne courent pas sur les terrasses et vos abeilles ne bourdonnent pas joyeusement dans les roses jaunes parfumées (une autre de vos passions).

Et aujourd'hui que vous réalisez que vous avez cinquante-neuf ans, vous le regardez, votre minuscule royaume, avec inquiétude.

Parce qu'il vous coûte très cher.

Grand-Père vous l'avait pourtant répété : la terre ruine.

Mais c'est plus fort que vous. Votre hérédité terrienne parle plus haut que votre sens de l'économie (pourtant paysan lui aussi).

Vous ne pouvez vous empêcher d'arracher les

vieilles vignes pour en replanter d'autres, de meilleure qualité. D'acheter du matériel agricole (vous ne vous étiez jamais douté auparavant qu'un bon tracteur valait presque le prix d'une Ferrari). De le faire réparer, ce matériel agricole (vous ne vous étiez pas douté non plus qu'il était plus fragile que le cristal). De reconstruire de vieux hangars écroulés (cette fois, pour le ranger, ce matériel agricole obsédant). De tracer des pistes contre les incendies dans les bois à coups de bulldozer, de remonter les talus affaissés par les pluies avec une coûteuse pelleteuse, de débroussailler inlassablement les ruisseaux (la guerre contre la ronce ne s'arrête jamais).

ETC... ETC... ETC... ETC... ETC... ETC... ETC...

Votre retraite de la Sécurité sociale vous permettra-t-elle de continuer à vous offrir ce luxe? Ou devrez-vous à votre tour vendre votre maison bien-aimée à une Madame Ginette?

CHAPITRE XVIII

Deux ou trois copines.

Au cours de votre existence, vous avez égaré quelques copines en chemin.

Par exemple :

... les amies d'enfance qui ont décidé de se consacrer à leur vie de famille. Choix ô combien respectable. Mais qui les incline à ne pas comprendre – le jour où leurs enfants vont en classe – que vous, vous n'avez toujours pas le temps de prendre le thé à 5 heures à la Marquise de Sévigné ou de patienter trois heures devant le Grand Palais pour admirer l'exposition Machintruc.

... les provinciales que vous affectionnez particulièrement mais qui débarquent à Paris sans prévenir et restent stupéfaites que vous ne soyez pas libre à déjeuner, le jour-même.

... la menteuse qui prétend obstinément et avec emphase que tout va très bien pour elle. Son mari gagne un fric fou. Ses enfants passent brillamment leurs examens. Elle a un boulot fascinant. Cela vous exaspère. D'autant plus que vous savez par la Ligue des Gonzesses que l'époux a été viré de sa boîte, la fille aînée a épousé un voyou et que le boulot en question est d'un ennui mortel.

... les copines de cinéma avec qui vous partagez

une intense complicité affectueuse, le temps d'un film, et qui ne vous revoient plus jamais ensuite. Ce sont là mœurs du spectacle. Vous ne vous y habituez pas.

... celles qui en ont marre de vous, un beau matin.

Blessures qui ne s'effacent pas : deux de vos meilleures amies ont déjà disparu :

... l'adorable et blonde Élise, si gaie, amoureuse de tous les hommes et tellement soucieuse de sa beauté. Capable de vous téléphoner à 11 heures du soir, d'un ton affolé : « J'ai la peau intérieure des cuisses qui commence à plisser! Tu crois que je peux me faire lifter là? » Un cancer galopant a ravagé et emporté en trois mois cette folle de la vie. Vous laissant au cœur une place vide à jamais.

... et Marina! Marina, l'écorchée vive, qui s'est suicidée par un beau jour d'été où le soleil et le ciel bleu lui ont semblé trop lourds à supporter. Vous vous sentirez toujours coupable de ne pas lui avoir téléphoné ce matin-là.

Vous n'aviez jamais envisagé que vos copines pouvaient mourir.

Vous n'êtes plus que deux ou trois à vous jeter sur le téléphone pour vous appeler mutuellement quand l'envie vous prend d'un bon instant de rigolade entre bonnes femmes. Ou pour vous plaindre de vos enfants qui ont des défauts malgré tout (si, si!). Ou du sale type qui encombre votre vie. À noter que si le sale type en question disparaît, c'est la panique. Elles vous invitent à sandwicher d'urgence pour savoir si vous n'avez pas dans vos réserves un mec à placer. « Je ne peux pas vivre sans un homme à la maison », pleurnichent-elles. Hélas, tous les mâles que vous connaissez sont en main. Soit gardés d'un gantelet de fer par une épouse aux aguets. Soit amoureux d'une minette de l'âge de leur fille aînée dont le corps frais les fait rêver. Il vous reste bien un cousin éloigné, célibataire, très ennuyeux – fort surpris de vos perpétuelles invitations – mais personne n'en veut.

Anne, brillante avocate internationale, a craqué un beau jour. Après des années solitaires, elle a épousé le beau gosse de plombier venu bricoler l'évier et qui en avait profité pour la bricoler elle aussi. Désormais, il vaque nonchalamment aux petits travaux du ménage. Elle plaide dans le monde entier et rentre à la maison, heureuse qu'un être humain l'attende.

Mais elle ne l'a jamais présenté ni à sa famille ni à vous.

Une bonne copine est un trésor. Elle ne vous dit jamais que vous êtes grosse, habillée comme l'as de pique, autoritaire ou au contraire (avec l'Homme) plate comme une carpette. Elle vous écoute patiemment quand vous êtes en veine de confidences ou en pleine déroute. Et vice versa.

« Avoir des amis, c'est être riche », a dit Plaute.

CHAPITRE XIX

Et Dieu dans tout cela?

Dieu n'est plus dans vos bagages.

Vous le regrettez souvent. Mais c'est ainsi : vous n'y croyez plus.

Pourtant, vous l'avez aimé passionnément. Vous aviez même projeté dans votre adolescence de vous consacrer à lui comme missionnaire chez les lépreux.

Cependant vous aviez commencé doucement par perdre confiance en ses représentants sur terre.

Dès l'âge de cinq ans.

Votre chère grand-mère avait une sœur religieuse chez les Auxiliatrices du Purgatoire à Paris. Vous alliez lui rendre visite, en son couvent, tous les jeudis après-midi. Cette femme, d'une fanatique méchanceté, glapissait des malédictions contre vos parents divorcés et vous faisait prier, à genoux et en pleurs, pour le salut de leurs âmes vouées aux flammes de l'enfer. Vous obéissiez, terrorisée et désespérée. Mais secrètement révoltée.

Tante Marthe vous tourmenta également jusqu'à ce que vous fassiez le « sacrifice » de votre poupée préférée (en robe de soie avec une petite plume à son béret) en faveur – encore et toujours – des Pauvres Petits Chinois. En échange, vous aviez le droit de piquer un trou avec une épingle dans une image pieuse imprimée : « J'offre au Petit Jésus un sacrifice tous les jours. » Cela ne vous a pas consolée. Vous regrettez encore amèrement votre poupée et vous avez gardé une dent contre ces Pauvres Petits Chinois avec lesquels on vous a bassinée toute votre enfance. Ils l'ignorent, heureusement.

Pendant vos longues années de couvent, vous vous êtes un peu réconciliée avec les Bonnes Sœurs. Mère Saint-Georges, la Supérieure, minuscule et impérieuse mais qui vous aimait bien, vous le sentiez. Mère Charles-Marie, si jolie et si douce, qui vous donnait à lire la série des *Brigitte* (*Brigitte jeune fille, Brigitte Maman*, etc.). Pourquoi fallait-il qu'il y eût aussi Mère Saint-Charles qui sentait mauvais et tirait brusquement les rideaux blancs qui clôturaient votre lit au dortoir, pour vérifier que vous ne faisiez pas des choses dégoûtantes avec votre voisine. Quelles choses dégoûtantes? Vous n'en aviez pas la moindre idée.

Puis vous avez découvert la sexualité, ses folles pulsions, ses ivresses et l'anathème d'un vilain petit prêtre grimaçant, vous poursuivant dans son église parce que vous ne vouliez pas d'un enfant conçu dans votre ventre sans que vous ayez encore très bien compris comment.

Et le choc immense de découvrir que Notre Mère l'Église Catholique, Apostolique et Romaine interdisait la contraception (sauf par des méthodes dites naturelles qui vous apportent un bébé au plus vite).

Au nom de quoi?

Au nom de Dieu?

Vous avez longtemps rêvé à une apparition du Christ, place de l'Étoile, dans une lumière inouïe, bénissant une immense foule.

— Femme, mes sœurs, Dieu est amour et compréhension. Dieu n'est pas interdiction et malédiction! Dieu est une femme!

Vous en connaissez qui auraient fait une drôle de tête. Des papes. Des cardinaux. Des curés. (Tous des hommes.)

Le Christ n'est pas venu.

L'Église vous a rejetée à nouveau quand vous avez divorcé.

Et Dieu a laissé mourir le petit bébé de Nadine, celui de Denise, votre amie Élise et n'a pas étendu sa main consolatrice sur Marina pour l'empêcher de se suicider.

Dieu s'en fout.

Non. Ce serait trop affreux.

Dieu n'est pas, tout bêtement.

Il ne vous manque pas.

Peut-être est-ce la faute de l'Église Catholique Apostolique et Romaine? Avoir désespéré ses brebis. Et les laisser s'apercevoir qu'on pouvait vivre dans la paix de l'esprit, sans Elle.

Parfois, vous vous demandez si la grande trouille de mourir – quand elle vous empoignera – vous rejettera, tremblante, dans la religion de votre enfance.

Vous vous imaginez alors, arrivant au Ciel, accueillie sur un nuage, par le brave saint Pierre barbu.

– Me voilà! direz-vous..., avec mes grands péchés et mes petits mérites (la modestie plaît au Ciel)... mais j'ai perdu Dieu en route.

– Ah! Ah! répondrait saint Pierre... pas bien, ça!

– Ce n'est pas ma faute, plaiderez-vous, ce sont vos évêques, vos religieuses et même vos papes qui en sont responsables.

– Cela ne m'étonne pas, approuverait saint Pierre. Ils ont oublié l'amour et la charité. Ils parlent une drôle de langue de bois que même le Tout-Puissant ne comprend pas. Bon. Entrez. Pour votre pénitence, vous passerez l'aspirateur tous les jours dans la chambre de Dieu.

— Oh non! cher saint Pierre, je n'ai pas mérité cela!

— D'accord. Alors, deux fois par semaine seulement.

Bon. Ça ira.

QUATRIÈME PARTIE

ET MAINTENANT?

CHAPITRE XX

– Tout cela est très intéressant, vous dit la dame de la CNAVTS qui a écouté le récit de votre vie et vos commentaires d'un air blasé – elle en a entendu d'autres! – mais... (elle pianote sur son ordinateur)... vous n'avez pas cotisé vos cent cinquante trimestres, soit trente-sept années et demie, qui vous donnent droit à la retraite complète de la Sécurité sociale.

– Ah! Et je l'obtiendrai quand?

– À soixante et onze ans.

– Mais c'est très loin! criez-vous.

– Oh non! répond la dame, sans s'émouvoir. Le temps passe de plus en plus vite à votre âge, vous savez.

Elle a raison.

Vous allez reprendre votre léger baluchon (hop, sur votre épaule droite, pas la gauche, celle au rhumatisme) et continuer votre petit bout de route, avec entrain. Parce que, en fin de compte, la vie, c'est formidable! Non?

À bientôt!

Cet ouvrage a été réalisé par la
SOCIÉTÉ NOUVELLE FIRMIN-DIDOT
Mesnil-sur-l'Estrée
pour le compte des Éditions Flammarion
en mai 1991

Imprimé en France
Dépôt légal : mai 1991
N° d'édition : 13171   N° d'impression : 17841